FEB 1 9 2014

Bibliothèque publique de la Municipalité de la Nation
Succursale ST ISIDORE Branch
Nation Municipality Public Library

Légende d'un ogre (PAS SI) terrible

D1291071

Légende d'un ogre (PAS SI) terrible

Les Éditions Goélette

Graphisme : Marjolaine Pageau et Chantal Morisset
Révision, correction : Corinne De Vailly, Marilou Charpentier et
Maude-Iris Hamelin-Ouellette
Illustration de la couverture : Julie Jodoin Rodriguez

© 2013 Les Éditions Goélette, Catherine Girard-Audet

www.editionsgoelette.com
www.facebook.com/EditionsGoelette

Dépôt légal : 3ᵉ trimestre 2013
Bibliothèque et Archives nationales du Québec
Bibliothèque et Archives Canada

Les Éditions Goélette bénéficient du soutien financier de la SODEC
pour son programme d'aide à l'édition et à la promotion.

Nous remercions le gouvernement du Québec de l'aide financière
accordée par l'entremise du Programme de crédit d'impôt
pour l'édition de livres, administré par la SODEC.

Nous reconnaissons l'aide financière du gouvernement du Canada par
l'entremise du Fonds du livre du Canada pour nos activités d'édition.

Membre de l'Association nationale des éditeurs de livres

Imprimé au Canada
ISBN : 978-2-89690-592-8

Voici les chroniques passionnantes et on ne peut plus envoûtantes de… moi-même, Boucle d'or. Je vous invite à me lire pour découvrir la richesse de ma plume que seule ma beauté légendaire peut surpasser (sauf si vous êtes un ogre terrible et que vous voulez me dévorer).

SEPTEMBRE

22 septembre

Mesdames et messieurs, je vous souhaite la bienvenue dans mon monde. Comme vous le savez probablement déjà (puisque je sais bien que tout le monde s'intéresse à moi), j'ai récemment été promue éditrice en chef de *L'Écho Livredecontes*. En effet, mon reportage extraordinaire sur le périple de Pinocchio[1], présenté au *Téléjournal*, et la façon dont j'ai su décrire notre périlleux voyage dans le but de trouver un remède à sa maladie m'ont hissée au rang des personnalités les plus populaires du village. J'ai même atteint les 45 000 abonnés sur Twitter, et ce sont maintenant plus de 200 000 admirateurs qui suivent ma page Facebook. En d'autres mots, je suis devenue une star. Votre star. Lorsque *L'Écho Livredecontes* m'a proposé ce poste, j'ai accepté sans hésiter.

---

1. *Carnet d'un pantin (pas si) menteur*, coll. L'envers des contes de fées, Les Éditions Goélette, 2013.

Me voici maintenant à la barre du journal le plus réputé de notre village. Et c'est moi qui aurai la chance de vous tenir informés des événements quotidiens, en plus de vous offrir mon opinion, qui, soyons honnêtes, compte plus que celle des autres. N'allez pas croire que je n'apprécie pas les articles du *Potins de fées* ou du *Vogue Romandefiction* lorsque j'ai envie de faire le vide et de me distraire avec de la lecture facile, mais mes éditoriaux sont des œuvres d'art. Je, Boucle d'or, vous promets de vous transmettre la vérité dans mes articles débordants d'informations et truffés de petits conseils vous permettant d'aspirer, un jour, à égaler ma perfection. En effet, c'est bien beau de se renseigner sur la politique nationale et internationale, l'économie et les sports, mais il faut aussi songer à son apparence !

J'espère donc que vous aurez autant de plaisir à me lire que j'en ai à me contempler dans la glace. Et si vous êtes témoins d'événements troublants, ou si vous avez de bons ragots (et d'autres informations) à me communiquer, écrivez-moi à boucledorestlaplusbelle@echolivredecontes.com.

À demain, pour d'autres nouvelles encore plus fascinantes !

Boucle d'or xoxo

23 septembre

Ce matin, j'ai reçu un texto très intéressant de Cendrillon. Elle m'informait que Blanche-Neige s'était fait teindre en blonde, et que ça ne lui faisait pas du tout un beau teint. J'ai téléphoné à cette dernière pour avoir des détails, mais elle a refusé de commenter. Je ne sais pas si vous êtes comme moi, mais cette info me bouleverse. Blanche-Neige, blonde ? Et quoi, encore ? Pinocchio, en métal ? Cendrillon, avec des chaussures en cuir ? Moi, avec des cheveux raides comme des baguettes de tambour ? Je crois qu'il faut faire un effort pour préserver les traditions. Je suis OUTRÉE que Blanche-Neige n'ait pas la même opinion que moi sur ce sujet.

D'un autre côté, cette erreur de jugement capillaire m'a aussi permis de me hisser au premier rang des plus jolies jeunes filles de Livredecontes, alors je ne devrais pas m'en plaindre. Mais comme vous pouvez le voir, je suis parfois capable de laisser mon succès de côté pour le bien des autres. Je suis comme ça, moi : bonne, gentille, généreuse et jolie (évidemment).

Blanche-Neige, si tu lis ces lignes, je te prie donc de me contacter pour qu'on puisse discuter de la grave étourderie que tu as commise. Je suis là pour toi. Je te tends la main. Je ne suis que bonté et grandeur d'âme.

Boucle d'or xoxo

25 septembre

Chers concitoyens de Livredecontes, me revoici après deux journées remplies de rebondissements. À la suite de mon cri du cœur, Blanche-Neige m'a contactée hier pour se confier. Elle m'a expliqué que la pression d'Hollywood l'a fait craquer. C'est pour cette raison qu'elle s'est fait teindre en blonde. Toutefois, elle assure qu'elle ne compte pas vous décevoir davantage.

Au contraire, son objectif est de se tailler une place dans l'univers cinématographique de Los Angeles, pour ainsi faire la promotion de Livredecontes et de tous ses habitants.

Dans un autre ordre d'idées, Blanche-Neige m'a avisée que ses voisins, les Trois Petits Cochons, s'étaient enfermés chez eux depuis deux jours. J'ai moi-même mené ma petite enquête de voisinage, et plusieurs hypothèses ont été formulées.

1. Ils souffrent de varicelle et cela les condamne à demeurer chez eux pour éviter de contaminer la population entière de Livredecontes.

2. Balthazar a fait une rechute. Il a abandonné son régime végétarien, ce qui a effrayé Samson et ses frères et les a poussés à se barricader dans leur maison.

3. Ils ont contracté une maladie grave, une affection qui les rend encore plus antipathiques que Grincheux avant sa récente guérison et qui ne leur donne pas envie de sortir de chez eux.
4. Ils sont si captivés par la série télévisée *Raconte-moi ton héros* qu'ils sont incapables de quitter leur canapé !

Mise à jour : Balthazar vient de me contacter pour m'apprendre qu'il n'a pas du tout laissé tomber son régime végétarien et qu'il travaille toujours avec les Trois Petits Cochons dans l'entreprise de construction Porcs et Imports.

Si vous avez des informations à me transmettre à propos de leur étrange attitude, n'hésitez pas à communiquer avec moi !

26 septembre

En tant que journaliste émérite, j'ai rapidement fait la lumière sur les agissements inhabituels de nos amis Samson, Graham et Neil. Après que j'ai frappé à leur porte avec insistance pendant près de huit minutes, Samson est finalement venu m'ouvrir.

« Que veux-tu ? » a-t-il lancé en entrouvrant légèrement et en inspectant les alentours d'un air apeuré.

« Je veux simplement te parler. Les habitants veulent savoir ce qui vous arrive, à toi et tes frères. Ils ont le droit de connaître la raison qui vous pousse à vous enfermer ainsi comme des marmottes en plein hiver ! Êtes-vous malades ? Ou pire encore, êtes-vous criblés de petits boutons rouges ? »

Samson m'a regardée en clignant des yeux.

« Tu vois bien que je n'ai pas de boutons, Boucle d'or. »

« Qu'est-ce qui m'assure que tu ne les as pas camouflés sous une couche de fond de teint ? Peut-être que Belle t'a donné son truc pour dissimuler les cernes. Tu sais, tout le monde croit qu'elle a une carnation de pêche, mais la vérité, c'est qu'il n'en serait rien sans maquillage… »

« Je ne porte pas de fard, Boucle d'or. Je suis un cochon ! »

« Et alors ? Même les cochons ont besoin d'une touche de couleur de temps à autre. Et à propos, je remarque que tu es bien pâle. Un peu de soleil ne te ferait pas de tort. »

Samson m'a dévisagée sans rien dire. Je crois qu'il attendait que je parte, mais vous savez tous que je suis (entre autres) reconnue pour mon audace, mon courage et ma ténacité (sans parler de ma beauté, de mon intelligence et de mon sens inné de la mode) ; bref, je n'allais pas abandonner si facilement.

« Alors, si personne n'est malade, puis-je entrer ? » lui ai-je demandé.

« Je n'ai pas dit que personne n'était malade ; j'ai dit que je n'avais pas de boutons. »

« Ça va, ne t'en fais pas. Je suis prête à toute éventualité », lui ai-je répondu en enfilant une chemise d'hôpital, des gants de caoutchouc et un masque chirurgical, que j'avais pris la précaution d'apporter avec moi.

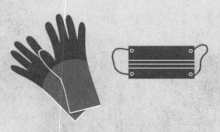

Samson a soupiré, puis il a ouvert la porte.

« Pas besoin de te vêtir de la sorte, Boucle d'or, m'a-t-il soufflé en m'invitant finalement à pénétrer dans la maison. Personne n'est contagieux ici. »

Je me suis faufilée en vitesse, avant qu'il ne change d'avis. Samson s'est empressé de verrouiller derrière moi. Puis, il a jeté un regard inquiet par la fenêtre, et il a tiré les rideaux . Ensuite, il a rejoint ses frères assis côte à côte sur le sofa.

« Ouf ! Ça sent le renfermé, ici ! Vous ne voulez pas ouvrir une fenêtre pour aérer un peu la maison ? » ai-je proposé d'un ton innocent.

« PAS QUESTION ! » a hurlé Neil avant de se cacher sous une couverture.

« Bon… Je comprends que le grand air ne vous intéresse pas vraiment, mais pouvez-vous me dire pourquoi il vous fait peur ? »

« Ce n'est pas le grand air qui nous fait peur, a chuchoté Graham. C'est la venue… de… argh ! »

Il s'est précipité derrière le sofa sans même finir sa phrase.

« La venue de quoi ? ai-je insisté. Oh ! Je crois savoir. Vous avez appris que Blanche-Neige s'est fait teindre en blonde, c'est ça ? Soyez sans crainte, mes petits cochonnets ! Je me suis déjà assurée que tout ira bien et que ses repousses n'effraieront pas les habitants du village. »

« Mais nous nous fichons de la couleur des cheveux de Blanche-Neige, m'a répondu Samson en fronçant les sourcils. Ce que nous avons appris est bien plus grave que ça. »

Je me suis assise près de lui, prête à apprendre une grande primeur.

« Que se passe-t-il donc ? »

« C'est l'ogre », s'est contenté de chuchoter Samson.

« Quel ogre ? » ai-je prononcé tout haut.

« CHUT ! Il pourrait nous entendre », m'a-t-il répondu en regardant autour de lui, comme s'il craignait qu'on ne l'observe.

« Euh… Tu veux dire qu'il y a un ogre dans votre maison ? » ai-je murmuré.

« Non, mais nous avons appris qu'il venait par ici ! »

« Hein ? Il vient vous rendre visite ? Mais alors il faut faire le ménage si vous prévoyez recevoir ! » ai-je répliqué en époussetant les coussins autour de moi.

« NON ! a rugi Graham en surgissant de derrière le sofa. Nous n'attendons la visite de personne ! »

« Bon… J'avoue ne rien comprendre à votre histoire. Comme j'ai un rendez-vous chez l'esthéticienne dans quinze minutes, je crois que je vais vous laisser… »

« Attends ! m'a retenue Samson. Avant de partir, laisse-moi t'exposer la gravité de la situation. La semaine dernière, mes frères et moi sommes allés au marais Enchanté, en bordure de Grottesombre, pour réceptionner une cargaison de boulons afin de terminer la construction du garage de Hansel et Gretel. »

« Beurk ! Pourquoi aller chercher des boutons jusqu'au marais Enchanté ? Vous savez, la plupart des mortels passent leur vie à essayer de se débarrasser de leurs petits points noirs ! » ai-je alors déclaré.

Les Trois Petits Cochons m'ont dévisagée pendant quelques instants.

« Pas des boutons, Boucle d'or. Des boulons. Pour la construction. »

« Ouais, euh ! C'est ce que je disais ! Continue, Samson. »

« Bref, lorsque nous étions là-bas, notre fournisseur nous a appris que Griffus, le terrible ogre qui hante Grottesombre depuis des années, a hérité d'une caverne de luxe à Livredecontes. Il entend déménager ici sous peu. C'est terrible, Boucle d'or ! Nous devrons cohabiter avec un monstre ! » a pleurniché Samson.

« C'EST TERRIBLE ! » a renchéri Neil en hurlant.

« Intéressant ! ai-je noté en essayant de maîtriser la panique qui s'installait en moi. Et pourquoi ne pas m'avoir prévenue aussitôt ? »

« Parce que nous sommes paralysés de peur », s'est contenté de murmurer Samson.

Trop ébranlée par cette énorme nouvelle, je n'avais pas le cœur à leur faire des reproches. Mon devoir était de prévenir mes admirateurs au plus vite. J'ai donc dit au revoir aux cochonnets avant d'être submergée par leurs pleurs, et je suis vite rentrée au journal pour effectuer mes propres recherches sur ce Griffus. Fidèle à mes habitudes, j'ai vite déniché une piste intéressante. Je vous promets des détails croustillants dès demain matin ! D'ici là, restez à l'affût des grognements étranges, verrouillez vos portes avant de vous coucher et n'oubliez pas d'appliquer un peu de crème hydratante avant de vous mettre au lit pour vivifier votre peau !

Boucle d'or xoxo

27 septembre

J'ai fait mes devoirs et, tel que promis, je suis prête à vous tracer un portrait de ce terrible Griffus, qui est sur le point de s'installer dans notre paisible contrée. Cet ogre est orphelin et habite Grottesombre depuis plusieurs années déjà. Son grand-oncle Crocus, qui vivait dans une contrée lointaine depuis plus d'une décennie, était aussi propriétaire d'une grotte dorée, appelée Grottus Deluxe, située au plus profond de la forêt de Livredecontes. Mes informateurs m'ont appris que ce Crocus a récemment rendu l'âme. Il a légué sa grotte dorée à son unique parent, son petit-neveu Griffus. C'est donc pour cette raison que l'ogre a décidé de plier bagage et de s'installer chez nous. Toujours selon mes informateurs, Griffus est un être solitaire, plutôt sauvage, qui souffre de mauvaise haleine chronique. Il s'agit d'une créature immense possédant des oreilles pointues, de gros muscles, de gros pieds, et d'effroyables griffes capables de déchiqueter un arbre d'un seul geste! Mon conseil est donc de demeurer sur vos gardes et de vous éloigner des coins sombres de la forêt.

Boucle d'or xoxo

29 septembre

Ce matin, Pinocchio est venu me tenir au courant de nouveaux faits concernant l'effroyable Griffus. J'étais en train de pratiquer mes positions de Pilates dans la salle de sport *Le Muscle Doré*, lorsque le pantin est entré à toute vitesse et s'est planté devant moi, ses genoux claquant comme des castagnettes.

« Que se passe-t-il, Pinocchio ? » l'ai-je interrogé en m'épongeant (élégamment) le front.

« C'est… le… monstre », a-t-il bafouillé.

« Quel monstre ? Si tu parles de Blanche-Neige, elle m'a affirmé ce matin par texto qu'elle comptait se teindre de nouveau en noir dès aujourd'hui. »

« Non ! Je… Je ne parle pas d'elle, m'a répondu Pinocchio, les yeux écarquillés. C'est l'autre monstre ! »

« Oh, tu sais Pinocchio, il ne faut pas me comparer à Belle, ni à Cendrillon, ni même à toutes les princesses du royaume ! Sinon, tu auras l'impression qu'elles sont toutes monstrueuses ! Que veux-tu ? Ce n'est pas toujours facile d'atteindre la perfection et d'être aussi resplendissante que moi ! »

« Mais… »

« Tut ! l'ai-je interrompu. S'il y a une chose que j'ai comprise au cours des derniers mois, c'est qu'il faut apprendre à accepter les différences, même si elles nous font peur à première vue. Prenons ton exemple : lorsque je t'ai rencontré pour la première fois, j'avoue que j'ai d'abord eu peur. Je ne savais pas comment un pantin faisait pour parler, ou même pour bouger sans ficelles ! Et que dire de ton nez, qui poussait comme de la mauvaise herbe dès que tu ouvrais la bouche ! »

« Mais… »

« Mais j'ai fait confiance au destin. Je me suis dit : "Boucle d'or, tu n'as pas à avoir peur. Tu es jolie, intelligente, on ne peut plus talentueuse et ambitieuse, et ce n'est certainement pas un jouet en bois qui va t'empêcher de réussir à atteindre ton but" », ai-je complété tout de go.

Pinocchio m'a regardée sans rien ajouter. J'ai remarqué que ses genoux claquaient toujours.

« Tu devrais peut-être consulter un médecin à propos de ton problème de genoux, lui ai-je conseillé. Peut-être que la guérison de ton problème de nez a empiré ton problème d'articulations. »

« Boucle d'or, puis-je parler, maintenant ? »

« Bien sûr, l'ai-je encouragé en souriant. Tu parles d'une question ! Personne ne t'empêche de t'exprimer ! »

« J'ai essayé de t'expliquer ce qui me terrorisait, mais tu m'as interrompu pour me parler de… »

« Oh ! Je viens de comprendre, me suis-je exclamée, en me frappant le front. Tu veux m'entretenir des baleines, c'est ça ? Je sais qu'elles te traumatisent encore, Pinocchio… Mais elles habitent très loin d'ici ! Tu n'as rien à craindre ! »

« Non, ce n'est pas ce dont je voulais te parler. »

« Hum ! Alors ce sont ces cours d'eau qui font craquer tes membres qui te préoccupent ? »

« Non. »

« Atchoum, qui ne cesse de renifler ? »

« Non. »

« Timide, qui rougit à tout bout de champ ? »

« Non. »

« Ma beauté sans précédent ? Je comprends que tu sois ébloui quand tu me vois, mais ce n'est pas une raison pour avoir peur ! Tu sais, quand j'étais plus jeune… »

« JE VEUX PARLER DE L'OGRE TERRIBLE QUI VIENT D'ARRIVER AU VILLAGE ! » a crié Pinocchio avant que je puisse terminer ma phrase.

Les gens dans la salle nous ont dévisagés avec un air inquiet.

« Chut ! »

J'ai entraîné Pinocchio vers la pièce de repos située à l'arrière du lieu d'entraînement.

« Tu vas alerter toute la population ! Il ne faut pas crier ainsi, voyons ! »

« Désolé ! s'est-il excusé en baissant les yeux. Mais je ne savais plus quoi faire pour attirer ton attention. »

J'ai sorti mon iPhone et je l'ai tendu en direction de Pinocchio pour enregistrer son témoignage.

« C'est sans importance maintenant. Vas-y, raconte-moi ce que tu sais. Je t'écoute. »

« En fait, tôt ce matin, Gepetto m'a prié de rendre visite à Henri, le mari de Reine, car nous avions besoin de beaucoup de bois pour une commande spéciale de Mildred et Bo Peep. Savais-tu qu'elles réaménagent complètement leur aire de travail ? »

J'ai bâillé pour lui signifier mon indifférence.

« Pour en revenir à ce matin, je venais donc de quitter Henri et Reine lorsque j'ai entendu des bruits provenant de la forêt. C'était un mélange de grognements et de sons cacophoniques. Curieux, j'ai décidé de m'aventurer sur le sentier pour découvrir la source de tout ce vacarme. C'est alors que je l'ai vu… »

« Qui ? Qui as-tu vu ? Prof, c'est ça ? Il a décidé de reprendre le chant et de participer aux auditions de

Star Livredecontes malgré les plaintes formulées par les habitants du village ? »

« Non, Boucle d'or. Je parle de l'ogre. J'ai vu Griffus dans la forêt. »

« Ça alors ! Es-tu certain que c'était bien lui ? »

« Disons qu'il correspond exactement à la description que tu en as faite dans *L'Écho Livredecontes…* »

« Et que faisait-il ? Avait-il l'air menaçant ? »

« Il chantait en se frottant le dos contre un arbre… »

« Nom d'une boucle ! C'est un monstre à puces ! Je dois vite alerter les habitants de Livredecontes ! Merci pour ton témoignage, Pinocchio ! »

J'ai abandonné le pantin dans la salle d'entraînement et je me suis précipitée vers les locaux du journal pour vous transmettre ces informations de dernière minute.

Chers habitants, l'arrivée de l'ogre Griffus à Livredecontes est officiellement confirmée. Quoi que vous fassiez, soyez prudents. Il semble que cette horrible créature ait tendance à attirer ses proies grâce à son chant, et qu'il soit infesté de puces ! À très bientôt pour de plus amples informations.

Boucle d'or xoxo

30 septembre

Chers amis, l'heure est grave. Comme vous le savez tous, Griffus a décidé de s'aventurer dans le centre-ville de Livredecontes, ce matin. En effet, vers 9 h 35, il a fait son apparition dans la rue principale, prenant la direction du supermarché *La Faim du Héros*. Je n'ai pas besoin de vous dire qu'en moins de deux minutes, le centre-ville était complètement désert. Les enfants ont fui le parc ; le facteur a abandonné ses lettres ; le boulanger a déserté sa boutique avec une baguette sous le bras et tous les commerçants de la rue ont pris leurs jambes à leur cou de peur que la terrifiante créature s'en prenne à eux.

Dame Tartine était en train de placer des fruits et des légumes sur les étals du supermarché lorsqu'elle a aperçu l'ogre qui entrait dans son magasin. Voici l'entrevue exclusive que j'ai réussi (grâce à mon talent et à ma perspicacité) à enregistrer avec elle.

Boucle d'or (BO): Dame Tartine, merci de répondre à mes questions. Je sais que vous avez vécu une épreuve traumatisante, mais nos lecteurs vous seront reconnaissants de bien vouloir partager votre expérience. Commençons par le début. Comment avez-vous réagi lorsque Griffus a fait son entrée dans votre supermarché?

Dame Tartine (DT): Lorsque je l'ai vu, j'ai abandonné mes pêches pour me réfugier derrière un congélateur. Je l'ai observé alors qu'il faisait le tour du magasin en déposant une grande variété d'aliments dans son panier.

BO : Pourriez-vous nous donner des exemples de vivres dont il semble raffoler ?

DT : J'ai remarqué qu'il avait un faible pour les sucettes glacées et les poires. Il a aussi choisi un pain frais, un paquet de jambon blanc en tranches et un morceau de gruyère.

BO : Et que s'est-il passé ensuite ?

DT : Il s'est approché de la caisse. J'avais peur qu'il l'attaque et parte avec toute la recette de la journée, mais, à ma grande surprise, il s'est mis à siffloter en entendant que quelqu'un lui réponde.

BO : Ça alors ! Quelqu'un a osé s'approcher ?

DT : J'étais la seule employée sur place. Il me revenait donc de m'avancer pour lui faire payer ses achats. Vous comprendrez que paralysée par la peur, je n'osais pas bouger !

BO : Je comprends. S'est-il impatienté ?

DT : Pas du tout. Il a continué à siffloter en souriant, puis au bout d'un moment, il s'est enquis d'une voix grave : « Allô ? Il y a quelqu'un ? J'aimerais bien régler mes emplettes ! » J'ai donc pris mon courage à deux mains et je me suis dirigée vers la caisse en tremblant comme une feuille. J'ai rapidement entré le montant de ses emplettes qui s'élevait à 19,95 $.

BO : Comment a-t-il réagi lorsque vous lui avez dévoilé le prix ?

DT : Il a souri et m'a tendu un billet de vingt dollars, puis il est parti en me remerciant.

BO : Vous a-t-il réclamé la monnaie ?

DT : Au contraire. Il a insisté pour que je garde les cinq cents qu'il restait.

BO : Que croyez-vous que cela signifie ?

DT : Hum… Qu'il est généreux ?

BO : Mouais ! Cette explication me semble un peu facile. Laissez plutôt l'experte en moi analyser la situation comme il se doit. Merci, Dame Tartine. Ce sera tout.

Par la suite, des touristes qui observaient la scène par la fenêtre de leur hôtel nous ont affirmé que Griffus avait regagné sa Grottus Deluxe après avoir fait ses courses. Même s'il n'a causé aucun dégât dans le centre-ville, il va sans dire que sa visite a perturbé le quotidien et la tranquillité d'esprit des habitants de notre village.

Boucle d'or xoxo

OCTOBRE

2 octobre

Même si l'ogre Griffus n'a pas refait d'apparition depuis deux jours, un autre événement est venu perturber l'ordre de notre paisible village aujourd'hui. À l'aube, alors que les Sept Nains se dirigeaient en sifflotant vers l'entrepôt d'Henri, le vent s'est levé d'un seul coup, faisant ainsi craquer les branches d'arbres et virevolter les feuilles autour d'eux. Grincheux m'a raconté qu'il ventait si fort que ses frères et lui ont dû tenir fermement leurs bonnets pour les empêcher de s'envoler. Plusieurs personnes m'ont par ailleurs envoyé leurs témoignages me racontant que la force du vent était telle qu'elle les avait tirés de leur sommeil !

Toujours selon les Sept Nains, les puissantes bourrasques ont fait trembler un poteau électrique à un tel point que celui-ci menaçait de s'effondrer sur la maison des Trois Petits Cochons. Simplet et ses frères s'apprêtaient à alerter les autorités lorsque quelqu'un a couru jusqu'au poteau pour le redresser et l'enfoncer en terre, l'empêchant ainsi de causer des dégâts.

Les Sept Nains m'ont raconté que tout s'était passé si vite qu'ils n'ont pas eu le temps de voir qui s'était porté au secours des Trois Petits Cochons et avait courageusement réussi à sauver leur maison.

Si vous avez des informations à propos de ce Héros invisible, n'hésitez pas à me contacter.

Boucle d'or xoxo

3 octobre

Chers concitoyens, l'heure est grave. En effet, j'ai appris en grande primeur qu'un autre malheur s'est abattu sur Livredecontes, ce matin. Alors que la mère Michel se baladait près d'un boisé avec son chat, celui-ci se serait volatilisé en un rien de temps.

« J'étais en train de contempler les fleurs, et Azraël se baladait à mes côtés, m'a-t-elle raconté. Je me suis penchée pour cueillir une marguerite, mais lorsque je me suis retournée vers mon chat, il avait disparu. Je vous assure que je ne l'ai perdu de vue que quelques secondes. Il a l'habitude de s'égarer, mais ça ne s'est jamais produit en ma présence. Je suis certaine que quelqu'un l'a kidnappé. Je suis prête à parier qu'il s'agit de cette effroyable créature qui s'est installée dans notre village. Je vous en prie ! Aidez-moi à retrouver mon chat avant qu'il ne soit trop tard ! » nous a-t-elle confié dans une entrevue émouvante.

N'hésitez pas à me joindre si vous avez des informations concernant cette étrange disparition. Vous pouvez aussi appeler la mère Michel sur son portable, au 555–MIAOU.

Boucle d'or xoxo

4 octobre

Chers amis, j'ai une excellente nouvelle à vous communiquer. Après avoir passé toute la nuit à chercher son chat aux quatre coins du village, la mère Michel m'a téléphoné en début d'après-midi pour m'annoncer qu'un être fantastique lui avait ramené son animal de compagnie sain et sauf.

« Je pleurais à chaudes larmes dans le salon lorsqu'on a sonné à la porte. Quand j'ai ouvert, j'ai aperçu Azraël qui ronronnait sur le paillasson ! Un bol de lait et une petite note avaient été déposés à côté de lui, m'a-t-elle raconté.

J'ai retrouvé votre chat. À très bientôt !

Le Héros invisible.

Évidemment, deux questions me brûlent les lèvres. Primo, qui est à l'origine de l'enlèvement d'Azraël? Et deuxio, qui est ce Héros invisible qui s'est porté à son secours et a rendu le sourire à notre chère mère Michel? Serait-ce le même personnage qui, il y a quelques jours, a redressé le poteau électrique avant qu'il ne s'effondre sur la maison des Trois Petits Cochons? Une chose est certaine, les événements se bousculent depuis l'arrivée de Griffus à Livredecontes. Vous êtes plusieurs à le croire responsable des malheurs qui s'abattent sur notre village. Ce matin, j'ai donc contacté mes amies les détectives Mildred et Bo Peep pour les informer des derniers développements et pour les inviter à enquêter sur le sujet. Comme vous le voyez, chers lecteurs, je ne suis que bonté. Je m'ouvre à vous tel un livre ouvert, et je cherche à vous protéger comme Maman Ours lorsqu'elle se balade en forêt avec Bébé Ours.

Je vous invite donc à être prudents, car nous ne savons pas quand la malchance frappera de nouveau.

Votre adorée Boucle d'or xoxo

5 octobre

Cet après-midi, j'ai assisté à une rencontre de la plus haute importance. En effet, Bo Peep et Mildred m'ont conviée avec la mère Michel et quelques apprentis journalistes à un point de presse dans leurs bureaux de détectives privés pour discuter de la situation qui prévaut dans notre village. Après avoir prélevé les empreintes laissées sur le chat de la mère Michel ainsi que sur le bol de lait et la note du Héros invisible, les deux détectives nous ont annoncé qu'elles n'avaient rien découvert de bien révélateur, à part un poil raide et vert près des moustaches d'Azraël.

« Beurk ! Qui possède des cheveux de cette couleur ? » ai-je demandé d'un ton dégoûté.

« Nous l'avons analysé de près, nous a appris Mildred, et nous avons réalisé qu'il ne s'agit pas d'un cheveu. »

« Mais alors... Qu'est-ce donc ? »

« D'un poil étrange, a poursuivi Bo Peep en fermant son cahier de notes. Ne vous en faites pas. Nous restons à l'affût, et je vous assure que nous finirons par découvrir d'où provient ce crin dégoûtant. »

«Comme il se trouvait sur le chat de la mère Michel, il se peut très bien qu'il appartienne au ravisseur d'Azraël, a suggéré Mildred. C'est notre seule piste pour l'instant, mais je vous préviendrai si nous obtenons plus d'indices.»

Les autres «journalistes» sont restés pour faire le point, mais comme j'avais un rendez-vous chez le coiffeur, je suis partie avant eux. Nous n'avons pas le même sens des priorités. Mon objectif est de vous transmettre des manchettes époustouflantes. Si je suis bien coiffée et manucurée lorsque j'écris mes articles, vous aurez encore plus de plaisir à me lire ! C'est logique, non ?

Boucle d'or xoxo

7 octobre

Chers lecteurs, je vous écris et je tremble. Mes jolies et délicates petites mains ne supportent pas l'angoisse ressentie au cours des dernières heures.

Laissez-moi tout de même vous faire un résumé de la situation. Vers 14 h, j'ai décidé de me baigner avec Belle et Cendrillon dans la rivière Livredecontes. J'avais enfilé mes plus belles lunettes de soleil et un superbe paréo. Tous les gens se retournaient sur mon passage pour me photographier. J'ai alors remarqué que Belle et Cendrillon étaient vertes de jalousie.

« Allons, mes amies ! Ne faites pas cette tête ! Vous tirerez profit d'avoir une amie aussi jolie que moi à vos côtés ! Ça vous permet de vous exhiber un peu plus, puisque les gens vous associent à moi, qui suis une véritable légende dans notre village. »

Cendrillon s'est contentée de pousser un soupir, tandis que Belle acquiesçait d'un air impressionné. Apparemment, elle était d'accord avec ma théorie. Une fois arrivées en bordure de la rivière, nous avons étendu nos serviettes de plage, et je me suis enduite de crème solaire, tandis que Belle s'appliquait de l'huile à bronzer (comme ma dernière expérience avec ce type d'autobronzant m'a rendue orange, je préfère m'abstenir). Cendrillon a, quant à elle, sorti un petit ventilateur de son sac.

« Que fais-tu avec ça ? » me suis-je étonnée.

« Je déteste transpirer. Ça obstrue mes pores. C'est pourquoi je trimballe toujours un petit ventilateur avec moi. Vous croyez que je pourrais le brancher dans le sable ? »

« Ouais, a répondu Belle d'un air convaincu. Je suis certaine que le sable est conducteur d'électricité. »

J'ai regardé mes deux amies en écarquillant les yeux. Je n'arrivais pas à en croire mes oreilles.

« Mais voyons, les filles ! Vous n'avez donc rien retenu de nos cours de sciences et technologie ? ! Vous sauriez que pour faire fonctionner un ventilateur, il faut le brancher dans l'eau ! »

Cendrillon m'a observée d'un air sceptique.

« Euh ! Es-tu certaine ? »

J'ai aussitôt entendu des sifflotements derrière moi.

« Tiens, ce sont les Sept Nains qui approchent ! Ils pourront confirmer ma théorie », les ai-je rassurées en souriant.

« Heigh-ho… Heigh-ho… On rentre du boulot ! » chantonnaient les nains en s'approchant avec leurs cannes à pêche.

« Bonjour, Prof ! Quel bon vent vous amène par ici ? »

« Nous sommes venus pêcher quelques poissons pour préparer un bon dîner », m'a-t-il expliqué en souriant, tandis que les autres nains s'installaient sur le rivage pour tendre leurs lignes.

« Vous ne voulez pas vous baigner avec nous ? »
lui a offert Belle.

« Non. Nous sommes bien trop frileux ! » a-t-il
rétorqué.

Puis il a porté son regard vers l'objet que
Cendrillon tenait dans sa main.

« Mais dites-moi, que faites-vous avec un ventilateur électrique sur la plage ? »

« En fait, nous étions justement en train de nous
questionner à ce sujet, lui ai-je expliqué. Où devons-
nous le brancher pour le faire fonctionner ? »,

« Euh… Dans une prise électrique, les filles »,
nous a-t-il répondu en haussant un sourcil.

« Ouais, mais où se trouvent-elles ? Dans le
sable ou dans l'eau ? » s'est questionnée Belle en se
grattant la tête.

« Voyons, mesdemoiselles ! Il n'y a pas de prise
électrique dans le sable ! Et encore moins dans
l'eau, a-t-il souligné d'un ton découragé. Vous ne
pensiez tout de même pas brancher ce ventilateur
sur la plage ? »

« Euh ! Je… », ai-je balbutié.

« Bien sûr que non ! s'est empressée de répondre
Cendrillon. En fait, j'étais de ton avis, mais Belle et

Boucle d'or s'entêtaient à dire le contraire. Moi, je savais bien que c'était impossible ! »

« QUOI ? me suis-je écriée. Mais c'est toi la première qui as suggéré que… »

« HAAAAAAAAAA ! »

PLOUF !

Un cri assourdissant est venu nous interrompre. Nous nous sommes tournés vers la rivière et nous avons aperçu Atchoum qui gesticulait dans l'eau. Le pauvre agitait les mains et se débattait de toutes ses forces pour rester à la surface.

« Au secours ! hurlait-il. Je ne sais pas nager ! Aidez-moi ! »

Grincheux et Simplet ont essayé de le sortir de l'eau, mais le courant était si puissant qu'Atchoum n'arrivait pas à agripper leurs mains.

« Il nous faut un grand bâton ! » a décrété Prof, tandis que les autres nains couraient dans tous les sens pour trouver un objet afin de secourir leur ami.

Tandis que Belle, Cendrillon et moi aidions les nains à transporter une grande branche vers la rivière, nous avons entendu des clapotements et des cris provenant de l'endroit où Atchoum avait fait une chute.

«Que se passe-t-il?» me suis-je inquiétée en courant vers la rive.

C'est alors que j'ai aperçu Atchoum étendu sur le rivage.

«Atchoum! Tu es sain et sauf! Comment as-tu fait pour regagner la rive?» me suis-je inquiétée en m'agenouillant près de lui, aussitôt imitée par les autres.

«Je ne saurais dire! Tout s'est passé tellement vite, a-t-il raconté en reprenant son souffle. J'avais réussi à m'accrocher à un morceau de bois, mais le courant était si fort que je n'étais plus capable de tenir bon. J'étais sur le point de lâcher prise lorsque quelqu'un m'a saisi par la taille et m'a ramené jusqu'ici! Mais quand j'ai repris mes esprits, il avait disparu…»

«Mais c'est impossible! Aucun d'entre nous n'était à proximité!» a fait remarquer Grincheux.

« Je ne sais pas de qui il s'agit, mais quelqu'un m'a secouru avant de prendre la poudre d'escampette », a repris Atchoum.

« Qui ferait une chose pareille et partirait avant même qu'on puisse le remercier ? » s'est enquis Prof.

« Je crois connaître la réponse, ai-je déclaré d'un ton solennel. Il s'agit… du Héros invisible ! »

« Qui ? » a fait Belle en me regardant comme si je venais de dire la chose la plus étrange du monde.

« Le Héros invisible ! C'est aussi lui qui a empêché un poteau électrique de détruire la maison des Trois Petits Cochons, il y a quelques jours, et qui a secouru le chat de la mère Michel après qu'on l'a kidnappé ! »

« Oh, je n'étais pas au courant de ces incidents », a-t-elle avoué avant de se mordre la lèvre inférieure.

« Comment est-ce possible ? Je ne cesse d'en parler dans mes articles ! Es-tu en train de me dire que tu ne lis pas mes éditoriaux ? »

Je l'ai dévisagée avec mécontentement.

« Je… En fait, ça… Oh ! Je viens de recevoir un texto de Prince Sauveur. Au revoir, les amis ! » a-t-elle lancé avant de partir à toute vitesse.

Pfff ! C'est tant pis pour elle si elle est trop bête pour lire des articles aussi enrichissants que les miens.

« Que s'est-il passé, Atchoum ? Comment es-tu tombé dans la rivière ? As-tu perdu pied ? » l'a questionné Prof en l'aidant à se relever.

« Euh ! Non. C'est que… On m'a poussé ! » a-t-il expliqué vivement.

« Quoi ? Mais qui aurait fait une chose pareille ? » s'est indigné Dormeur.

« Quelqu'un de bien méchant ! » a clamé Grincheux.

« Mais c'est impossible ! Il n'existe plus de méchants à Livredecontes ! » a rétorqué Joyeux.

« Erreur. Il n'existait plus de méchants à Livredecontes, ai-je déclaré d'un ton théâtral. Mais comme vous le savez, les choses ont changé depuis l'arrivée d'une certaine créature dans notre voisinage. Je crois que c'est la seule personne capable de commettre un geste aussi indigne. Je fais évidemment référence à… »

« L'ogre Griffus ! » se sont exclamés les autres en chœur.

Après nous être assurés qu'Atchoum n'avait rien de cassé, nous sommes vite retournés au village pour prévenir Bo Peep et Mildred des récents incidents. Ces dernières sont d'ailleurs en train de recueillir le témoignage d'Atchoum afin d'amasser le plus d'indices possible pour pouvoir mettre la main au collet du coupable.

Si vous voulez mon avis, le suspect numéro un de cette affaire est Griffus. Après tout, les malheurs ne cessent de s'accumuler depuis son arrivée dans la région, et je ne crois pas qu'il ne s'agisse d'une simple coïncidence.

Je vous invite donc à faire preuve de prudence et à me téléphoner si vous avez de plus amples informations à propos du Héros invisible qui, heureusement, semble toujours apparaître au bon moment pour se porter au secours de notre population.

Boucle d'or xoxo

10 octobre

Chers admirateurs de mon talent et de ma beauté, je vous salue. Je sais, je vous manquais. N'ayez crainte, chers amis, je suis saine et sauve. La vérité, c'est que j'ai passé les deux derniers jours à passer le village au peigne fin. J'ai aussi accompagné Bo Peep et Mildred aux quatre coins de Livredecontes afin d'en découvrir davantage sur les événements malheureux qui se sont abattus sur notre village et essayer de lever le voile sur le mystère du Héros invisible. Qui est-il ? Que veut-il ? Et pourquoi ne sort-il pas de l'ombre pour que nous puissions le féliciter pour ses exploits ?

La bonne nouvelle, c'est que toutes ces heures passées au grand air m'ont permis de prendre un peu de couleur et de donner encore plus d'éclat à mes boucles, ce qui me rend d'autant plus irrésistible.

La mauvaise nouvelle, c'est que nous n'avons rien découvert de nouveau depuis la mésaventure d'Atchoum dans la rivière. Ce dernier est très avare de commentaires. Il prétend ne pas avoir vu le visage de celui qui l'a poussé dans l'eau, un peu plus tôt cette semaine. La seule chose que les détectives ont trouvée, c'est une petite particule beige sur le bonnet du nain. Elle pourrait appartenir au suspect l'ayant fait tomber dans la rivière. Cet indice est en cours d'analyse. J'y reviendrai dès les résultats obtenus.

Dans un autre ordre d'idées, je vous annonce que les élections municipales de Livredecontes auront lieu dans deux semaines, jour pour jour. Ce sera alors à vous de voter pour le candidat le plus convaincant pour remplir les fonctions de maire.

À ceux d'entre vous (la majorité, je l'imagine!) qui espèrent voir mon nom dans la liste des candidats, je dois annoncer que je ne peux malheureusement pas être dans la course, et ce, même si je suis persuadée que j'obtiendrais la majorité. Vous comprendrez qu'avec mon emploi d'éditrice en chef, mon rôle d'amoureuse de Robinson et de femme de tête au sein de la population, mes séances de massage, d'acupuncture, de manucure, de pédicure et de soins faciaux complets, je ne crois pas avoir le temps d'accomplir les tâches liées au poste.

Boucle d'or xoxo

11 octobre

Habitants de Livredecontes, j'ai une grande nouvelle pour vous. Reine vient de me faire parvenir un tweet de Rose, qui prétend que Carabosse a appris par le biais de Gepetto que Dame Tartine a aperçu une fois de plus l'ogre Griffus dans son supermarché ce matin. Apparemment, il a acheté une baguette, des fromages, des olives, ainsi que plusieurs légumes frais et en conserve. Vous avez bien lu, chers lecteurs. Griffus serait un grand amateur de fromages ! Après avoir payé, il a même expliqué « gentiment » à Dame Tartine qu'il désirait organiser une petite dégustation festive en plein air près de sa grotte dorée pour apprendre à mieux connaître son voisinage. Si vous êtes comme moi, la dernière chose dont vous avez envie, c'est de partager un goûter avec un ogre aux gros pieds poilus et aux ongles menaçants !

Fidèle à mon habitude, je me rends de ce pas au centre-ville pour recueillir les déclarations des témoins. J'en profiterai aussi pour m'asseoir sur un banc du parc afin que vous puissiez m'admirer quelques instants. Que voulez-vous ? J'ai une âme charitable, et aujourd'hui, j'ai envie de vous faire plaisir !

Boucle d'or xoxo

12 octobre

Les mots me manquent pour vous décrire l'horreur dont j'ai été témoin hier, lors de mon passage au centre-ville de Livredecontes. J'en ai longuement discuté avec Dame Tartine et les autres spectateurs de la scène impliquant Griffus. Ceux-ci prétendent que malgré son apparence repoussante, l'ogre serait demeuré poli et souriant en tout temps. Pfff! Je suis certaine que ce n'est qu'un stratagème pour nous amadouer avant de mieux nous dévorer. J'ai ensuite fait un petit détour par le château de Blanche-Neige pour prendre de ses nouvelles.

J'ai frappé et sonné à la porte pendant près de six minutes avant que Beau Prince ne m'ouvre. Il avait les cheveux en bataille et l'air affolé.

« Beau Prince? Que se passe-t-il? Pourquoi fais-tu cette tête? »

« C'est Blanche-Neige, m'a-t-il répondu, le visage livide. Viens vite, Boucle d'or. L'heure est grave! »

Je l'ai suivi prestement jusqu'à la salle de bain.

« Blanche-Neige est enfermée là-dedans depuis plus de deux heures et elle refuse de sortir! Elle dit qu'il est arrivé un malheur et elle pleure à chaudes larmes. Je ne sais plus quoi lui dire pour la convaincre de sortir de là! »

« Laisse-moi faire ! lui ai-je répondu d'un ton solennel en posant une main sur son épaule. Tu as bien fait de venir me chercher, Beau Prince. Vraiment, je suis la mieux placée pour intervenir en cas de crise. »

« Euh ! Je ne suis pas allé te chercher ! s'est récrié Beau Prince. C'est toi qui sonnes à la porte depuis près de dix minutes. »

« Tut-tut ! Je suis venue parce que j'ai senti que tu me cherchais et que mon amie était en détresse. Maintenant, laisse-nous. »

Beau Prince m'a dévisagée, puis il a disparu en direction de la cuisine.

J'ai frappé doucement à la porte de la salle de bain pour interpeller Blanche-Neige.

« Wou-hou ! C'est moi ! » ai-je chantonné.

« Va-t'en ! a lancé sèchement mon amie. Je ne veux voir personne. »

« Allons, ma chérie. Tu ne peux pas rester enfermée là-dedans toute la journée ! »

« J'ai trop honte pour sortir. Je suis... trop laide. Je refuse que tu me voies dans cet état ! » a-t-elle gémi.

« Mais Blanche-Neige, pense à toutes les bactéries qui t'entourent ! Si tu restes barricadée dans cette pièce, elles s'acharneront sur ta peau et te causeront des tonnes de points noirs. »

Blanche-Neige a aussitôt poussé un cri horrifié et elle est sortie en catastrophe de la salle de bain. Elle était vêtue d'un grand peignoir blanc, et une serviette enveloppait ses cheveux.

« Dis-moi ce qui ne va pas », l'ai-je incitée d'une voix douce.

« Est-ce que tu me promets de ne pas te moquer de moi ? »

« Je te le jure. »

Elle a pris une profonde inspiration, puis elle a enlevé la serviette qui recouvrait sa chevelure. Je n'ai pu retenir un cri d'horreur.

« AHHHHHH ! »

Beau Prince est arrivé en trombe.

« Que se passe-t-il ? » nous a-t-il pressées en nous observant toutes les deux.

Puis, il a levé les yeux vers les cheveux de Blanche-Neige. Ils étaient… rouges.

« AHHHHHHH ! » a-t-il hurlé à son tour avant de s'évanouir. Blanche-Neige a aussitôt éclaté en sanglots.

« Boucle d'or ! C'est horrible ! Je suis sortie de la douche et… Je me suis vue dans la glace ! Je suis un monnnnstre ! »

Elle s'est laissée choir sur une chaise en pleurant à chaudes larmes. J'ai enjambé son mari et je me suis installée à ses côtés pour la consoler.

« Blanche-Neige, tu n'es pas la première à être victime d'actes scandaleux. En effet, il semble qu'un malfaiteur se soit infiltré dans le village. Dis-moi une chose, es-tu certaine d'avoir utilisé ton shampoing habituel ? »

« Oui ! C'est la même bouteille. J'en mettrais la main de Beau Prince au feu ! »

« Quoi ? On m'appelle ? » a réitéré ce dernier en se réveillant soudain.

« Blanche-Neige, donne-moi ton shampoing que je le fasse analyser. Mildred et Bo Peep enquêtent actuellement sur l'origine d'une multitude d'incidents, mais à ta place, je me méfierais des ogres à puces souffrant de mauvaise haleine. »

Blanche-Neige m'a regardée d'un drôle d'air, puis elle a traîné les pieds jusqu'à la salle de bain pour en ressortir avec le flacon incriminant.

« Tu crois vraiment que quelqu'un s'en serait pris à moi de la sorte ? » s'est-elle inquiétée, les yeux écarquillés.

« Oui ! » ai-je confirmé fermement.

« Alors, je souhaite de tout mon cœur que les détectives lui mettent la main dessus ! Pour l'instant, aide-moi à dissimuler mes cheveux. Je dois me rendre chez le coiffeur, et il est hors de question qu'on me voie ainsi ! »

Après avoir promis à mon amie de ne jamais raconter à quiconque ce qui venait de se produire (oups !), j'ai camouflé sa chevelure rouge sous un grand chapeau de paille et je l'ai accompagnée jusqu'au salon de coiffure *La Boucle dorée*.

Même si Blanche-Neige a pu retrouver sa chevelure noire grâce aux dix-huit traitements de choc des meilleurs coiffeurs de *La Boucle dorée*, il n'en demeure pas moins qu'elle est traumatisée par l'acte ignoble dont elle a été victime.

Je vous supplie d'être prudents et de fuir les énormes créatures recouvertes de poils verts et pleines de puces (oui, Griffus, je parle de toi !)

Boucle d'or xoxo

13 octobre

Chers admirateurs, je viens aujourd'hui vous faire part des résultats obtenus à la suite des récentes analyses effectuées par Millie & Bo. Selon les dires de Mildred, la particule beige recueillie sur le bonnet d'Atchoum proviendrait d'une corne ou d'une griffe.

En étudiant de près un échantillon du shampoing de Blanche-Neige, les deux détectives ont également pu déterminer qu'un agent de coloration rougeâtre avait été versé dans la bouteille à l'insu de la princesse. Qui est le coupable ? Pourquoi s'en est-il pris ainsi à la chevelure de Blanche-Neige ?

Depuis hier, mon téléphone ne dérougit pas. Vous êtes des centaines à m'appeler des quatre coins de Livredecontes, et même d'autres contrées lointaines, afin d'en savoir davantage à propos du malfaiteur qui sévit dans notre village et du Héros invisible, qui semble toujours prêt à voler à notre secours. Par ailleurs, plusieurs d'entre vous ont témoigné de leur inquiétude concernant la présence de l'ogre Griffus à Livredecontes. Nombreux sont ceux (dont moi-même) qui le soupçonnent d'être le responsable des malheurs qui s'abattent sur nous, et qui se posent une multitude de questions à son sujet.

Comme Griffus est le suspect numéro un dans cette affaire, Mildred, Bo Peep et moi-même avons donc convenu de lui rendre une petite visite demain après-midi afin de le questionner sur ses allées et venues depuis son arrivée au village. Aura-t-il un alibi et saura-t-il répondre à notre interrogatoire sans sueur froide ? Quant à moi, pourrai-je supporter une présence aussi menaçante sans broncher et tolérer sa mauvaise haleine sans m'évanouir ? Pour vous, mes amis, je suis prête à tout. C'est ce qui fait de moi la plus grande journaliste qui soit.

Boucle d'or xoxo

15 octobre

Les derniers jours ont encore une fois été très mouvementés dans notre petite localité. Tout a commencé hier, en début d'après-midi, lorsque j'ai reçu un appel de Rose. Cette dernière m'a raconté que quelqu'un s'était emparé de sa jolie nappe de soie crème, alors qu'elle venait tout juste de l'étendre sur la corde à linge pour la faire sécher. Rose a passé le voisinage au peigne fin pour la retrouver, en vain.

Environ deux heures plus tard, on a sonné à sa porte. Lorsqu'elle a ouvert, elle a trouvé, dans une boîte, sa belle nappe qui avait été lavée, repassée et délicatement pliée. Une petite note l'accompagnait :

J'ai retrouvé ta nappe
et j'ai pris soin de
la nettoyer.

Le Héros invisible.

Mildred et Bo Peep se sont évidemment empressées de recueillir la nappe et le message laissé par notre héros national pour les envoyer au labo, puis elles sont venues me rejoindre chez moi avant de nous rendre chez Griffus.

J'ai mis plus de trois heures à me préparer, puisque je ne savais pas trop comment m'habiller pour rencontrer une telle créature. Je ne voulais pas être trop adorable de peur que ça ne lui donne envie de me dévorer, mais entre vous et moi, vous savez que quoi que je fasse, je suis toujours un exemple de grâce et de beauté. J'ai finalement opté pour une tenue simple : une jupe en taffetas rouge, un chemisier en soie et un cardigan rose (sans oublier mes lunettes surdimensionnées de star et mon sac préféré).

« Wow ! s'est exclamé Bo Peep lorsque j'ai ouvert la porte. Tu ressembles à une vedette de cinéma ! »

« C'est vrai, a acquiescé Mildred. Tu es bien chic pour aller rencontrer un monstre ! »

« Pfff, ces vieilles fringues ? ai-je dit en haussant un sourcil et en boutonnant mon cardigan. Allons, les filles ! Ce ne sont même pas des vêtements

griffés ! Bon, mettons-nous en route ! J'ai hâte d'en avoir fini avec cet ogre. »

Nous avons suivi le sentier de la forêt jusqu'à Grottus Deluxe. Nul besoin de vous dire que je déteste les randonnées en nature ; j'éprouve même un dégoût profond pour les insectes, la boue, les plantes et le chant des oiseaux.

« Pourquoi fais-tu cette tête ? m'a demandé Mildred alors que nous approchions de la grotte de l'ogre. Est-ce parce que tu as peur de te retrouver face à face avec Griffus ? »

« Pfff ! Pas du tout. Je n'ai peur de rien, moi. Sauf peut-être des escargots et des coccinelles. Je viens d'ailleurs d'en voir une voler tout près. AHHHHH ! » ai-je hurlé en me réfugiant derrière Bo Peep.

« Quoi ? Que se passe-t-il ? »

« J'en ai vu une passer au-dessus de nos têtes », ai-je chuchoté toujours cachée derrière mon amie.

Mildred et Bo Peep ont échangé des regards découragés, puis elles ont finalement frappé à la porte de la grotte dorée.

« Qui est là ? » a clamé une voix.

« C'est Mildred et Bo Peep. Nous sommes détectives et nous aimerions vous poser quelques questions... »

« Et moi, c'est Boucle d'or, les ai-je interrompues. Je suis LA journaliste de Livredecontes. En fait, je suis aussi une véritable légende ambulante. Généralement, les gens se bousculent pour obtenir mon autographe. Alors, apprécie ta chance que je sois venue jusqu'ici, dans ton trou terreux, pour te rencontrer. »

L'ogre a aussitôt ouvert la porte avec un grand sourire. Je ne savais pas trop comment réagir face à ce faux enthousiasme. J'ai donc ramassé une noix sur le sol et je l'ai tendue vers lui et en l'interpellant comme un chat.

« Wou-hou ! Viens ici ! Viens manger la bonne noisette ! »

« Ce n'est pas une noisette, c'est un gland. Et je te remercie, mais je suis allergique aux noix », m'a-t-il répondu doucement.

J'ai jeté le fruit sec et je me suis approchée de l'ogre sans broncher. Je pouvais sentir que les deux jeunes détectives en herbe tremblotaient derrière moi.

« Ne vous en faites pas, les filles. Je m'en occupe », leur ai-je murmuré.

« Mais… », a commencé Mildred.

« Chut ! » ai-je renchéri en levant la main.

« Ça tombe bien que vous soyez ici, nous a alors dit l'ogre en nous tendant de petites enveloppes. Je m'apprêtais justement à me rendre au village pour vous inviter à ma petite réception. Elle aura lieu le jour des élections municipales. Nous pourrons célébrer notre nouveau maire tous ensemble ! »

Il s'est mis à danser et à battre des mains avec joie. Mildred et Bo Peep se sont approchées pour prendre leurs invitations, mais je me suis aussitôt interposée entre elles et l'ogre.

« Écoute, sac à puces, je n'irai pas par quatre chemins, lui ai-je dit en lui arrachant les enveloppes des mains. Nous ne sommes pas ici pour fraterniser. Nous sommes venues pour comprendre. Nous voulons savoir pourquoi tu terrorises la population de Livredecontes. Quel est ton but ? »

« Quoi ? Mais je ne… »

« Tut ! Cesse de parler. Tu en as déjà dit assez ! Allez, les filles ! Passez-lui les menottes ! » ai-je enchaîné en repoussant mes boucles derrière mon épaule d'un geste théâtral.

« Euh… Nous ne pouvons pas l'arrêter, Boucle d'or, m'a soufflé Mildred. Primo, nous n'avons aucune preuve tangible qu'il soit l'auteur des crimes survenus à Livredecontes. Deuxio, nous ne sommes pas de la police, et tertio, nous n'avons même pas eu le temps de l'interroger à cause de tes simagrées ! »

« Pas besoin de l'interroger ! Il est coupable ! » ai-je grommelé en écarquillant les yeux.

« Boucle d'or, tu veux bien nous laisser faire notre travail ? » a réclamé Bo Peep d'un air mécontent en tapant du pied.

« Pfff ! Ouais, ouais ! Mais si vous voulez mon avis, je crois que tout a été dit. »

« Mais je n'ai rien dit encore, et je... », s'est défendu l'ogre.

« Tut ! ai-je répété en levant la main vers lui. Tu es poilu, tu as de grosses griffes, tu es horrible, tu as des puces et tu as mauvaise haleine. Je crois que ce sont des preuves assez incriminantes aux yeux de la police. »

« Mais je suis né comme ça ! Et je te jure que je n'ai pas de puces. Pour ce qui est de mon haleine, je comptais justement profiter de mon passage au village pour acheter du rince-bouche... »

« Du rince-bouche, hein ? Et où penses-tu te le procurer ? À la pharmacie ? Au supermarché ?

Ou alors dans ta grotte boueuse où tu entreposes du colorant rouge, des pièges à nains et des chats perdus ? » me suis-je écriée en brandissant un doigt accusateur vers lui.

« Quoi ? Mais de quoi parles-tu ? »

« Oh, tu sais très bien de quoi je parle ! Ne fais pas l'innocent ! »

« Non ! Je t'assure que… »

« J'en ai assez entendu ! Allez, les filles ! On décampe ! »

J'ai agrippé Mildred et Bo Peep par le bras et je les ai tirées vers le sentier.

« Vous ne voulez pas une petite boule glacée à la noix de coco avant de partir ? » a proposé l'effroyable Griffus tandis que nous nous éloignions de sa grotte.

« Pas question que tu nous amadoues avec tes recettes sucrées ! » ai-je lancé derrière mon épaule.

J'ai entraîné les filles un peu plus loin, mais elles se sont aussitôt débattues pour se libérer de mon étreinte.

« Boucle d'or ! Tu viens de ruiner notre occasion de questionner Griffus sur ses allées et venues ! » m'a grondée Bo Peep.

« Au contraire ! lui ai-je dit en me contemplant les ongles. Je lui ai fait comprendre que nous ne nous laisserons pas intimider. »

« Mais tu ne lui as même pas laissé l'occasion de s'expliquer », a rétorqué Mildred.

« Son bafouillage m'a suffi pour comprendre qu'il était coupable ! » ai-je tranché.

« Moi, je trouve qu'il avait l'air plutôt honnête… », s'est opposé Bo Peep.

« Je dirais même qu'il était sympathique ! » a poursuivi Mildred.

« Nous pourrions peut-être assister à sa réception ! » a proposé sa collègue en souriant.

Je les ai observées avec un air scandalisé.

« QUOI ? Mais vous avez perdu la tête ! Les filles, vous êtes vraiment crédules ! Cet ogre essaie de vous amadouer, et vous tombez dans le panneau ! Heureusement que j'étais là pour lui faire comprendre que nous n'étions pas naïves ! »

« Nous ne sommes pas crédules, Boucle d'or ! Nous sommes des détectives professionnelles ! » a répliqué Mildred.

« Professionnelles, mon œil ! ai-je soufflé tout bas. Je ne sais vraiment pas ce que vous feriez sans moi ! »

Les filles m'ont dévisagée, puis, en silence, nous avons regagné le centre-ville.

Une chose est certaine, chers lecteurs, vous pourrez dormir sur vos deux oreilles cette nuit, car j'ai bien fait comprendre à ce monstre hideux que nous en avions assez de vivre dans la peur ! Par mon courage, ma détermination et mon intrépidité, j'ai mis un terme à son règne de terreur. Je suis d'ailleurs certaine qu'à partir d'aujourd'hui, aucun autre incident malheureux ne viendra secouer notre village.

Boucle d'or xoxo

16 octobre

Je suis dépassée par l'appel que je viens de recevoir. En effet, contre toute attente, il semble que Griffus ait à nouveau fait des siennes, et ce, malgré mes avertissements d'hier.

Ce matin, c'est le Petit Chaperon rouge qui a été victime de ses agissements. Alors qu'elle s'apprêtait à emprunter un sentier pour aller porter un petit pot de beurre, des galettes, de la confiture et des fromages à sa Mère-Grand, elle a ressenti une envie pressante d'aller au petit coin. Elle a alors déposé son panier de victuailles en bordure de sa maison pour se rendre aux toilettes, mais à son retour, elle s'est rendu compte que toutes ses provisions s'étaient volatilisées.

Nul besoin de vous dire que le Petit Chaperon rouge est dans tous ses états, d'autant plus que Mère-Grand comptait sur cette nourriture pour les membres de son club de bridge.

Même si Bo Peep et Mildred ne cessent de me casser les oreilles avec des détails tels que des « preuves incriminantes insuffisantes » et le précepte disant que « chacun est innocent jusqu'à preuve du contraire », j'ose tout de même affirmer ce que tout le monde pense tout bas : Griffus est l'auteur de ce crime, et il faut agir vite avant qu'il ne s'en prenne à un autre personnage innocent de Livredecontes. En attendant, j'espère que notre Héros invisible sera une fois de plus à la hauteur de la situation et retrouvera le délicieux goûter du Petit Chaperon rouge avant que ne commence le grand tournoi de bridge de Mère-Grand.

Boucle d'or xoxo

17 octobre

Mes informateurs viennent de me confier que quelqu'un (le Héros invisible) a déposé un panier rempli de savoureuses victuailles devant la maison de Mère-Grand au cours de la nuit. Encore une fois, les habitants de Livredecontes peuvent compter sur ce personnage héroïque et pousser un profond soupir de soulagement.

J'ai, par ailleurs, reçu plusieurs appels et messages d'admirateurs qui me demandent si je connais la véritable identité de notre superhéros. Malgré toute ma modestie, et même si vous croyiez que le secret professionnel m'empêche de dévoiler cette information, je ne peux rien vous dire, puisque je n'en sais rien. Plusieurs d'entre vous sont d'avis que JE suis l'héroïne invisible, mais j'ai le regret de vous annoncer que je nage encore en plein mystère. Je ne suis pas la responsable de tous ces actes épiques. Ceci étant dit, si notre Héros invisible s'entête à ne pas se manifester, il me fera grand plaisir d'être honorée à sa place.

Bien à vous,

Boucle d'or xoxo

18 octobre

Nous voici maintenant à une semaine jour pour jour des élections municipales, et je tenais à faire une petite récapitulation des dernières informations fournies par Mildred et Bo Peep, nos détectives «professionnelles». Après avoir examiné le panier du Petit Chaperon rouge de très près, elles m'ont annoncé avoir retrouvé un autre poil vert et raide sur l'anse.

Même si celles-ci préfèrent ne pas se prononcer pour ne pas nuire à l'enquête, j'ai tout de même décidé de dresser un portrait du personnage de Livredecontes susceptible de laisser de tels poils ainsi que des particules beiges sur certaines pièces à conviction.

Griffus. Les incidents ayant secoué notre village coïncident exactement avec son arrivée à Livredecontes. De plus, son corps est parsemé de petits poils verts, et il possède des griffes de couleur beige.

Maintenant, je dois vous laisser, car Blanche-Neige m'attend. En effet, nous allons passer la journée au *Country Club* de Livredecontes. Je suis heureuse de pouvoir profiter de quelques heures de répit en compagnie de ma bonne amie, de son époux et de mon cher Robinson! Au menu: amuse-gueule, cricket et soins de beauté!

Boucle d'or xoxo

18 octobre (un peu plus tard)

Je vous écris en direct du *Country Club*, où j'ai croisé Agatha, la méchante sœur de Mildred, en train de faire bronzette sur le bord de la piscine.

« Bonjour, Agatha! l'ai-je apostrophée, en baissant mes verres fumés. Que fais-tu ici? Je ne croyais pas que le club ouvrait ses portes aux anciennes *criminelles*!»

« Tu sauras que depuis que j'ai complété mes heures de travail d'intérêt général, je suis une femme transformée. Je ne suis plus que paix, amour et tendresse», a-t-elle rétorqué en se redressant sur sa chaise.

C'est alors que j'ai aperçu une petite particule verdâtre près de son gros orteil. Curieuse, je me suis aussitôt précipitée sur le fragment et je m'en suis emparé pour mieux l'observer.

« Hum !... Intéressant », ai-je souligné en la dévisageant.

« Beurk ! Que fait ce poil vert sous mon pied ? » s'est-elle exclamée en faisant l'innocente.

« Écoute, Agatha, je ne suis pas aussi naïve que Mildred et Bo Peep, alors ça ne sert à rien de me jouer la comédie ! C'est compris ? » l'ai-je menacée du doigt.

« Quoi ? Mais de quoi parles-tu ? Ce n'est tout de même pas ma faute si une poussière dégoûtante s'est logée sous mon pied ! »

« Oh !... Je vois. Tu veux me faire croire que tu ne sais pas ce que représente ce poil ? » ai-je répliqué en haussant le ton.

« Euh ! Non... Je... Je n'en sais rien ! »

« Ouais, c'est ça ! ai-je fait en plissant les yeux. Je t'ai à l'œil, Agatha. »

« Bon, je... je ferais mieux d'y aller, moi ! » s'est-elle exclamée en prenant son sac pour ensuite se précipiter vers les vestiaires. Elle voulait sûrement éviter que je pousse l'interrogatoire plus loin !

J'ai aussitôt envoyé un message aux détectives pour les prévenir de l'incident et pour ajouter Agatha à notre liste de suspects. Heureusement que vous pouvez compter sur moi pour faire triompher la loi et l'ordre dans notre village !

19 octobre

Habitants de Livredecontes, on vient de me communiquer une bien triste nouvelle : le Petit Poucet est porté disparu depuis 13 h aujourd'hui ! Voici le témoignage émouvant de sa mère :

« Ce matin, mon bébé chéri m'a annoncé qu'il allait se balader en forêt. Avant qu'il parte, je me suis assurée qu'il était en possession de ses petits cailloux blancs pour éviter de se perdre. Je connais mon fils ! Il ne se serait pas aventuré en terrain inconnu sans laisser des traces de son passage. Je suis certaine que quelqu'un a retiré ses petits galets, et c'est pour cette raison qu'il s'est perdu. Je vous en prie, chers amis, aidez-moi à retrouver mon fils ! »

Des enquêteurs et des volontaires sont en train de ratisser la forêt dans l'espoir de le retrouver, mais comme il fait nuit maintenant, les recherches se révèlent plus difficiles.

Quant à moi, n'écoutant que mon courage, je viens de téléphoner à mon tendre Robinson pour qu'il m'accompagne chez Griffus. Je suis persuadée que l'ogre a quelque chose à voir dans cette mystérieuse disparition. Je n'attendrai donc pas une minute de plus avant de l'affronter ! Restez des nôtres pour de nouveaux développements !

19 octobre (très tard)

Je sais, il est tard, mais comme vous le savez tous, je suis toujours prête à me surpasser pour vous transmettre les informations qui vous intéressent.

Disons que j'ai passé une soirée très forte en émotions. Tout a commencé lorsque Robinson et moi avons entendu de la musique résonner à l'intérieur de la grotte de l'ogre Griffus.

« Oh, je crois que je reconnais cette mélodie », a murmuré Robinson en souriant.

« C'est l'air d'un suspect qui essaie de camoufler son crime avec du rock'n'roll ! » ai-je enchaîné d'un ton pince-sans-rire.

J'ai frappé longuement à la porte. Enfin, Griffus est venu ouvrir. Il portait un chapeau de fête, une jupe hawaïenne et tenait un verre de punch aux fruits agrémenté d'un petit parapluie en papier et d'une paille multicolore.

« Tiens, bonsoir, Boucle d'or, m'a-t-il saluée, l'air surpris. Quel bon vent t'amène par ici à cette heure ? Et qui est cet homme charmant qui t'accompagne ? »

« Robinson », a répondu mon amoureux en lui tendant la main.

J'ai dévisagé mon compagnon, puis je me suis interposée entre les deux garçons pour éviter qu'ils ne fraternisent davantage.

« Laisse tomber la politesse, Bigfoot, ai-je dit en l'écartant de mon chemin et en pénétrant dans sa grotte. Qu'as-tu fait du Petit Poucet ? Où est-il ? »

« Je ne sais pas, je te l'assure ! s'est défendu l'ogre. J'ai entendu parler de sa disparition comme les autres, mais je te jure que je n'ai rien à voir dans cette histoire. »

« Tu penses vraiment que je vais te croire ? » ai-je rétorqué en le regardant dans les yeux et en me couvrant le nez pour ne pas sentir son haleine.

« Je ne comprends pas pourquoi tu doutes de ma bonne foi », a-t-il plaidé.

« Parce que tu es un O-G-R-E ! Et que depuis que tu t'es installé ici, le village est sens dessus dessous ! »

« Mais je suis un ogre gentil. »

« Épargne-moi ton baratin ! Par définition, les ogres sont méchants, et la population de Livredecontes est de mon avis. Alors tu peux arrêter ton petit jeu ! Je pense que tu ferais mieux de me dire tout de suite où se trouve le Petit Poucet avant que mon Robinson te montre de quel bois il se chauffe ! »

Je me suis retournée pour chercher l'appui de mon amoureux, mais je ne l'ai vu nulle part.

« Robinson ? ROBINSON ? » me suis-je mise à hurler, soudain prise de panique. J'ai alors brandi mon doigt vers Griffus.

« Où est-il ? Comment l'as-tu fait disparaître ? »

« Quoi ? Mais je n'ai rien fait ! Comment veux-tu que je l'aie fait disparaître alors que je suis à tes côtés depuis ton arrivée ? »

« ROBINSON ? » ai-je continué de hurler en m'avançant dans le couloir.

J'ai remarqué que tous les murs de la grotte étaient recouverts de tapisserie dorée. J'ai rapidement inspecté le salon et la chambre à coucher qui étaient déserts. Puis, j'ai aperçu une lueur par la porte entrouverte de la cuisine, située tout au fond de la caverne. Je suis dirigée dans cette direction. Je pouvais entendre la musique et les éclats de rire qui augmentaient au fil de mes pas.

J'ai ouvert la porte d'un seul coup et j'ai poussé un cri de stupéfaction. Robinson était confortablement installé à la table et discutait avec Agatha en sirotant un verre de punch aux fruits.

« Contente que tu te sois enfin jointe à nous, ma chérie », m'a dit mon compagnon d'un air jovial.

« Quoi ? Mais je rêve ! Robinson, que fais-tu assis à table avec cette… dangereuse ex-détenue ? »

« Je me suis aventuré dans la grotte pour aller au petit coin et je suis tombé sur Agatha, qui m'a gentiment offert à boire ! » m'a-t-il expliqué en souriant.

J'ai dévisagé Agatha, qui portait elle aussi un chapeau ridicule ainsi qu'un collier à fleurs, puis j'ai reniflé le contenu du verre de mon amoureux pour m'assurer qu'elle n'y avait pas versé de poison.

« Que fais-tu ici, Agatha ? Je ne savais pas que tu fraternisais avec les yétis ! »

« Non ! Je... », a-t-elle bafouillé.

« Tout s'éclaircit, maintenant ! l'ai-je interrompue en m'appuyant sur le dossier d'une chaise pour me donner un air encore plus menaçant. Pas étonnant qu'il y ait des poils verts sous tes pieds ! Allons, dis-moi tout. Depuis quand êtes-vous complices, Griffus et toi ? Et où est le Petit Poucet ? »

Agatha m'a dévisagée, les yeux tout écarquillés.

« Je ne vois vraiment pas de quoi tu parles. J'ai fait la connaissance de Griffus pour la première fois aujourd'hui. Je l'ai croisé en quittant le *Country Club*. Il m'a gentiment invitée à sa petite soirée hawaïenne. C'est la vérité, Boucle d'or », m'a rétorqué cette dernière.

« Une soirée hawaïenne, hein ? Et où sont les autres convives ? »

« Personne d'autre n'est venu, a soufflé Griffus en pénétrant dans la cuisine et en baissant la tête. Je crois... qu'ils ont peur de moi. »

« Mais bien sûr qu'ils ont peur de toi, ai-je répondu vivement. Les gens ne sont pas dupes, Griffus. Ils savent bien que c'est toi qui es responsable de tous les malheurs qui s'abattent sur notre village ! Et j'ai maintenant la preuve qu'Agatha est ta complice ! Allez, cessez de me faire perdre mon temps. Dites-moi où est le Petit Poucet ! »

« Mais je n'en sais rien », a risposté l'ogre d'un ton désespéré.

« Je n'ai pas dit mon dernier mot ! » l'ai-je menacé en m'approchant à quelques centimètres de son visage.

Sa mauvaise haleine m'a toutefois fait grimacer et j'ai reculé d'un bond pour reprendre mes esprits.

« Allez, viens Robinson ! On rentre à la maison ! » ai-je enchaîné, au bord de la nausée.

« Mais j'ai envie de rester », a plaidé ce dernier en faisant la moue.

« Tu veux dire que tu préfères rester avec ce yéti plutôt que de rentrer avec ta tendre moitié ? »

« Je ne suis pas un yéti. Je suis... »

« Chut ! ai-je répliqué. Alors, Robinson. Quelle est ta décision ? »

Mon amoureux a regardé ailleurs, l'air songeur.

« Robinson, je crois que tu ferais mieux de suivre ta femme, a fait l'ogre d'une petite voix en lui tendant un chapeau de paille et un collier à fleurs. Je te les offre pour que tu continues la fête chez toi. De toute façon, Agatha s'apprêtait à partir, car j'ai… quelque chose d'important à faire. »

« Comme quoi ? Faire disparaître un chat ? Subtiliser un panier de provisions ? Voler une nappe de soie ? » lui ai-je demandé d'un ton accusateur.

« Rien de tout ça ! m'a-t-il dit en fronçant les sourcils. C'est… personnel. »

« De toute façon, j'en ai assez entendu. Je pars, mais je t'assure que la prochaine fois, je viendrai accompagnée de la police qui te mettra la main au collet et les menottes aux poignets ! »

J'ai tourné les talons en faisant virevolter mes boucles et je suis partie en claquant la porte. Griffus s'est aussitôt élancé à ma poursuite.

« Que me veux-tu ? » me suis-je inquiétée en pressant le pas.

« Je veux simplement savoir si tu seras des nôtres lors de ma réception en plein air ! Je n'ai toujours pas eu ta réponse… ni celle des autres habitants de Livredecontes, d'ailleurs. »

« Il y a une raison pour cela, Griffus », lui ai-je dit en pivotant vers lui. Les gens sont terrorisés par ta présence. Ils n'ont pas envie de venir faire la fête chez toi et de se jeter dans la gueule du loup ! »

« Je ne suis pas un loup… », a essayé de plaider l'ogre, les larmes aux yeux.

Mais je ne lui ai pas laissé le temps de poursuivre son explication. Je suis montée à bord de la voiture de Robinson, j'ai démarré le moteur et je suis partie en trombe. En regardant dans le rétroviseur, j'ai aperçu mon amoureux, qui avait déjà enfilé son collier et sa jupe fleurie, en train de courir derrière le véhicule en faisant de grands signes.

« Oups ! » ai-je chuchoté en freinant brusquement.

« Désolée, chéri ! Mais cet ogre a le don de me mettre dans tous mes états », me suis-je excusée lorsqu'il a pris place dans la voiture.

« Moi, je le trouve plutôt sympathique », a répondu Robinson en reprenant son souffle.

J'ai secoué la tête et j'ai conduit jusqu'à chez moi dans le silence. Je m'apprêtais à me mettre au lit lorsque mon iPhone s'est mis à sonner.

« Allô ? »

« Bonsoir, Boucle d'or. C'est Mildred à l'appareil. Je t'appelle pour te dire que nous venons de retrouver le Petit Poucet sain et sauf. Nous devons encore une fois une fière chandelle au Héros invisible ! »

« Quoi ? C'est lui qui l'a retrouvé ? Est-ce que le Petit Poucet a pu en faire une description ? Que s'est-il passé au juste ? »

« Le Petit Poucet nous a simplement raconté qu'il se baladait en forêt depuis une heure lorsqu'il a décidé de rebrousser chemin. C'est alors qu'il s'est aperçu que tous les petits cailloux qu'il avait laissé tomber sur le sentier avaient disparu ! Il semble que quelqu'un les ait subtilisés pour empêcher le jeune garçon de retrouver son chemin. »

« Mais c'est horrible ! Et que s'est-il passé ensuite ? »

« Le Petit Poucet était paniqué ! Il a marché quelques minutes, puis il a trouvé refuge dans une clairière. Il s'est finalement installé sous un arbre et il s'est assoupi. Lorsqu'il s'est réveillé, il se trouvait déjà devant chez lui! Le Héros invisible l'a retrouvé et l'a ramené jusqu'à la maison sans même le réveiller!»

« Ça alors! Est-ce qu'il a laissé une note?»

« Oui. Il a écrit:

> Il serait plus
> prudent de te balader
> avec une boussole.
>
> Le Héros invisible

Je prélèverai les empreintes au petit matin, mais je ne m'attends pas à grand-chose, étant donné qu'il n'a laissé aucune trace sur ses autres messages.»

« D'accord. Merci pour les informations. Je m'empresse d'avertir tous mes fidèles disciples que Petit Poussin est sain et sauf. »

« Euh ! On parle du Petit Poucet, Boucle d'or. »

« Oublions les détails. Allez, à demain ! »

Maintenant que vous savez tout, je peux aller me reposer. Si jamais vous êtes témoins d'un événement spectaculaire ou que vous avez des informations inédites à me transmettre, prière de me joindre seulement à partir de 11 h, demain matin. Il se fait déjà tard, et comme vous le savez tous, j'ai besoin d'au moins dix heures de sommeil pour permettre à ma peau de se revitaliser, à mon teint de se ressourcer et à mes neurones de se régénérer.

Boucle d'or xoxo

20 octobre

Bonjour, chers admirateurs ! Je sais qu'il est déjà 14 h, mais j'ai finalement décidé de faire la très grasse matinée et un tour au spa avant de vous écrire. Maintenant que mes traits sont détendus, je sens que ma plume est encore plus exaltée que d'habitude.

Comme les derniers jours ont été très (trop) riches en émotions et que mes narines sont encore offensées par l'haleine de Griffus, j'ai besoin de légèreté, aujourd'hui. C'est pourquoi j'ai décidé de vous offrir un cadeau. En effet, je vous dévoilerai… le secret de mes boucles.

Vous êtes plusieurs à me questionner sur ma recette miracle, et je suis maintenant prête à vous la divulguer. Je vous entends applaudir et m'acclamer d'ici, mais comme je suis une jeune fille humble, je ne ferai que trois petites révérences avant de poursuivre mon histoire.

Comme vous le savez, je suis une jeune femme choyée par la nature. Je suis née toute en beauté, et j'ai grandi dans la grâce et l'élégance. Dès mon plus jeune âge, tous s'attardaient à me répéter à quel point j'avais de belles boucles dorées et, avec les années, j'ai appris à les chérir.

Pour m'assurer que mes boucles sont parfaitement coiffées, j'applique tous les matins un mélange tout simple composé de cinquante-six ingrédients. Je place ensuite mes rouleaux et je patiente au soleil pendant quarante-cinq minutes. Par la suite, il ne reste plus qu'à laver mes cheveux à trois reprises, à étendre quatre types de mousse bouclante et trois gels féeriques différents, à sécher le tout avec un diffuseur de fée, à les saupoudrer d'un énorme jet de laque et hop ! je suis prête à sortir dans la rue et à vous éblouir. Maintenant que vous connaissez le secret de ma splendeur, nul besoin de vous contenter des cheveux ternes de Cendrillon !

Qui eût cru qu'il était si simple d'être aussi jolie que moi ?

Boucle d'or xoxo

21 octobre

Chers citoyens de Livredecontes, ce n'est pas de gaieté de cœur que je m'adresse à vous aujourd'hui. En effet, un drame… terrible s'est produit ce matin dans ma PROPRE MAISON. Je trouve à peine les mots pour vous décrire l'horreur de ce que je viens de vivre.

Quand je me regarde dans la glace… je vois une boucle en moins. Oui, vous avez bien lu. Après avoir eu la générosité et la bonté de cœur de vous dévoiler le secret de ma coiffure exemplaire, « quelqu'un » est entré par effraction chez moi, au cours de la nuit, pour couper l'une de mes boucles. Quand je me suis levée ce matin, je sentais ma tête plus légère, mais je n'arrivais pas à déterminer pourquoi. C'est alors que je me suis admirée dans la glace et que j'ai vu… l'horreur. J'ai hurlé de toutes mes forces et Robinson est arrivé à toute vitesse pour constater l'ampleur des dégâts.

J'ai pleuré toutes les larmes de mon corps, puis mon amoureux m'a encouragée à reprendre des forces pour trouver le coupable de ce délit abominable. Nous avons fouillé tous les recoins de notre château pour dénicher l'arme du crime ou tout autre indice nous permettant d'identifier le malfaiteur (ou plutôt de prouver qu'il s'agit de Griffus), mais sans succès.

Les mots me manquent pour exprimer la tristesse et le vide qui m'envahissent. Ma jolie boucle m'a quittée, et je me sens… défigurée. Je vous en prie, mes chers amis, aidez-moi à la retrouver pour me permettre de l'encadrer et de l'offrir en cadeau à notre localité.

Boucle d'or xoxo

21 octobre (un peu plus tard)

Les événements se sont bousculés au cours des dernières heures. En effet, environ une heure après vous avoir délivré mon déchirant témoignage, quelqu'un m'a téléphoné. Il s'agissait d'un appel anonyme. Un individu d'une voix grave et sobre m'a annoncé que ma précieuse boucle se trouvait devant chez moi.

J'ai couru vers le portail de la maison, et je l'ai vue qui reposait sur le sol, inerte et abandonnée. Mildred et Bo Peep m'ont interdit d'y toucher, et elles sont arrivées quelques instants plus tard pour effectuer une analyse complète de cette nouvelle pièce à conviction. Après avoir sorti leurs pinces et leur immense loupe, les détectives m'ont annoncé avoir aperçu trois petits poils verts et raides parmi mes cheveux dorés.

«C'est ignoble! ai-je sangloté. Nous avons retrouvé ces poils sur toutes les pièces à conviction des récents crimes ayant secoué le village, mais je ne croyais pas que ma jolie boucle allait aussi en être infestée! Vous savez comme moi qu'il n'y a qu'une seule créature à Livredecontes qui possède une crinière aussi dégoûtante, et c'est Griffus!»

Mildred et Bo Peep ont échangé un regard, puis elles se sont tournées vers moi.

«Tu as raison, Boucle d'or. L'horreur a assez duré. Nous allons prévenir la police immédiatement

pour qu'ils emmènent l'ogre au poste. Nous pourrons le questionner, et avec un peu de chance, il finira par avouer ses crimes. »

Les détectives se sont mises en route, puis je me suis agenouillée devant ma boucle pour pleurer à chaudes larmes.

Robinson est allé chercher un cadre doré, et nous y avons installé ma boucle afin de l'offrir au nouveau maire qui sera bientôt élu. Je crois que c'est tout naturel d'en faire cadeau à l'hôtel de ville puisqu'il s'agit d'un véritable emblème national.

Heureusement, ce dernier drame a réussi à convaincre les détectives que j'avais raison de soupçonner Griffus. Je suis certaine que son arrestation mettra un terme à la série d'incidents tragiques qui ont secoué Livredecontes depuis quelques semaines.

Avis à ceux et celles qui désirent participer à la cérémonie d'encadrement de ma mèche, elle aura lieu à l'hôtel de ville demain dès 15 h. Vos témoignages de sympathie peuvent aussi se traduire par un don à l'Association des cheveux bouclés de Livredecontes.

Boucle d'or xoxo

22 octobre

Chers admirateurs, je suis bouche bée. J'avoue que malgré mon intelligence sans borne, je n'arrive plus à comprendre ce qui se passe chez nous. Je m'explique. Comme vous le savez tous, c'est cet après-midi qu'avait lieu la célébration d'encadrement de ma mèche de cheveux au centre-ville de Livredecontes. À ma grande surprise, Agatha faisait partie des convives, et elle est même venue pour se faire photographier avec ma boucle et moi.

« Je suis désolée pour toi, Boucle d'or. Je sais que ta mèche était très précieuse à tes yeux. »

« Oui, ai-je répondu en essuyant quelques larmes. Mais je suis tout de même heureuse de pouvoir en faire cadeau au futur maire. Elle aura pour effet d'illuminer son environnement de travail. Le seul problème, c'est que je dois maintenant porter un foulard ou un chapeau pour camoufler ce vide. Je me sens… horrible ! »

J'ai éclaté en sanglots et Agatha m'a prise dans ses bras pour me consoler.

« Merci », ai-je finalement bafouillé en me mouchant dans son pull.

« Euh… Ce n'est rien », m'a-t-elle répondu, l'air dégoûté.

« Je suis désolée de t'avoir soupçonnée d'être l'auteure de ces crimes. Il est vrai que tu es parfois un peu bizarre. Sans compter que tes choix vestimentaires et ton passé laissent un peu à désirer, mais ce n'était pas une raison pour t'associer à cette horrible créature qui s'en est prise à ma jolie boucle. »

Agatha a baissé les yeux.

« Je n'arrive toujours pas à croire que Griffus soit coupable, m'a-t-elle avoué. Je sais que tu ne le portes pas dans ton cœur, mais moi, je l'ai trouvé doux et gentil. Je pense que si tu apprenais à le connaître, tu réaliserais qu'il n'est pas celui que tu crois. »

J'ai dévisagé Agatha, puis j'ai tourné les talons. Je ne tolérerai certainement pas qu'elle défende la créature nauséabonde qui a osé s'en prendre à ma chevelure.

J'ai rejoint Cendrillon qui discutait avec Blanche-Neige et Belle un peu plus loin. Mes amies chuchotaient en regardant autour d'elles pour s'assurer que personne ne les écoutait.

« Coucou, les filles ! » me suis-je exclamée en m'approchant.

Elles se sont aussitôt interrompues et elles m'ont regardée d'un air nerveux.

« De quoi parlez-vous ? »

« Euh ! Je… De… Me… », a cafouillé Cendrillon.

« Que se passe-t-il, mon amie ? Azraël a mangé ta langue ? » ai-je blagué.

« Non. Nous parlions de… ta boucle », a dit Blanche-Neige.

Cendrillon l'a aussitôt fusillée du regard.

« Que se passe-t-il ? me suis-je inquiétée. Pour-quoi faites-vous cette tête ? »

« Pour rien, m'a répondu Cendrillon du tac au tac. Ta mèche va beaucoup nous manquer, c'est tout. »

J'allais répondre lorsqu'une voiture est arrivée en trombe et nous a fait sursauter. Mildred et Bo Peep sont sorties promptement de leur véhicule et se sont précipitées vers nous.

« Boucle d'or, tu n'en croiras pas tes oreilles ! » s'est alors écriée Mildred après avoir rapidement salué sa sœur Agatha.

« Ah ! Vous voilà enfin ! me suis-je réjouie en accueillant mes amies détectives. Je me demandais justement quand vous comptiez venir saluer ma boucle ! »

« Ah, oui… Euh… Nous avions prévu passer un peu plus tôt, a bafouillé Bo Peep, mais il y a eu une urgence qui nous a retenues au travail ! »

« Quelle urgence ? »

« Comme tu le sais, les élections municipales ont lieu après-demain. Aujourd'hui, une équipe de gentils bénévoles s'est donc affairée à installer des banderoles et d'autres décorations dans le parc Ilsvécurentheureuxeteurentbeaucoupdenfants en vue du grand événement. Le problème, c'est qu'en revenant après leur pause, ils ont réalisé que quelqu'un était entré sur les lieux pour s'emparer de tous les ornements ! »

« OH ! me suis-je étonnée en écarquillant les yeux. Griffus s'est évadé de prison ! Attention, tout le monde ! L'ogre est de retour parmi nous, et il vient de commettre un autre crime dans le parc Ilsvécurentheureuxeteurentbeaucoupdenfants ! »

Mes convives ont poussé des cris horrifiés et se sont mis à courir dans tous les sens.

« Boucle d'or ! Que se passe-t-il ? » s'est inquiétée Agatha en se joignant à nous.

« Il semble que ton ami le Bigfoot ait encore fait des siennes ! » ai-je répondu.

« Tu te trompes ! s'est alors exclamée Bo Peep. Griffus est au poste de police depuis hier ! Ce n'est pas lui qui a commis ce crime… C'est quelqu'un d'autre ! »

« QUOI ? ai-je dit, abasourdie. Hum !… À bien y penser, Griffus parle rarement de sa vie personnelle. Je parie qu'il est marié et que c'est sa Griffette qui a décidé de se venger ! »

« Non, Boucle d'or ! m'a détrompée Mildred en soupirant. Nous avons fait des recherches sur lui, et je t'assure que Griffus n'est pas marié. Qui plus est, il est le seul ogre de sa lignée qui soit encore vivant, alors n'essaie pas de blâmer un parent lointain ! »

« Il faut vite que je prévienne mes admirateurs de ce nouveau développement », ai-je tranché d'un air sérieux.

« En effet, a acquiescé Bo Peep. La population de notre village doit savoir que nous n'avons pas arrêté le bon suspect… et que le malfaiteur de Livredecontes court toujours ! »

« Et qu'allez-vous faire de Griffus ? » s'est renseignée Agatha d'un ton nerveux.

« Nous allons le relâcher, en espérant qu'il accepte toutes nos excuses. »

Même si l'honnêteté de l'ogre me laisse sceptique et bien que je ne sois pas totalement en accord avec la décision des soi-disant détectives professionnelles pour l'innocenter, je me fais tout de même un devoir de vous relater les événements tragiques de la journée, et de vous conseiller de rester alertes. Cette fois-ci, même le Héros invisible semble impuissant devant la menace ennemie. Où sont les banderoles et les décorations disparues ? Qui est le coupable ? Pourquoi notre héros national ne s'est-il pas encore manifesté ? Voici des questions qui nous tourmenteront sûrement toute la nuit.

Boucle d'or xoxo

24 octobre

Chers amis, pour la première fois depuis des semaines, nous avons une réelle raison de célébrer ! En effet, c'est aujourd'hui que le suspense a pris fin et que, moi, votre Boucle d'or adorée, je suis parvenue à lever le voile sur le mystère entourant les incidents tragiques des dernières semaines.

Je sais que Bo Peep et Mildred vous diront que ce sont elles qui ont réussi à épingler les coupables, mais soyons honnêtes, elles n'y seraient jamais arrivées sans mon aide !

Tout a commencé ce matin. Après avoir passé près d'une heure devant la glace pour essayer de camoufler ma mèche manquante, je me suis rendue à l'agence Millie & Bo, où l'on m'avait convoquée pour faire le point sur la situation.

En sonnant à la porte du bureau des détectives, j'ai cru discerner quelque chose à ma droite. Je me suis retournée, le cœur battant, mais il n'y avait personne. J'ai frappé du poing pour que mes amies m'ouvrent au plus vite, et de nouveau mon œil a été attiré, cette fois à gauche. J'ai lancé un regard furtif autour de moi, mais mon assaillant semblait encore une fois s'être envolé.

Quand Bo Peep m'a finalement ouvert, je me suis précipitée à l'intérieur et j'ai verrouillé la porte derrière moi.

Elle m'a observée avec inquiétude.

« Que se passe-t-il ? On dirait que tu as vu un fantôme ! »

« Ce n'est pas tout à fait impossible, ai-je chuchoté. Alors que j'attendais dehors, j'ai senti qu'on m'observait et me suivait. J'ai peur, Bo Peep. »

Cette dernière m'a entraînée jusqu'à son bureau et m'a ordonné de m'asseoir.

« Prends de grandes inspirations, m'a-t-elle conseillé. Je vais aller te chercher un verre d'eau. »

Bo Peep est sortie de la pièce, et j'en ai profité pour fermer les yeux afin de retrouver mon calme. Une mouche s'est alors posée sur moi et est venue ruiner mon moment de détente. J'ai tout de suite ouvert les yeux et j'ai agité mon bras pour la faire disparaître. C'est alors que j'ai perçu un mouvement à ma gauche. Je me suis levée d'un bond, puis j'ai senti une présence à ma droite.

« AU SECOURS ! ai-je hurlé. À L'AIDE ! »

Bo Peep et Mildred se sont précipitées vers moi, affolées.

« Que se passe-t-il ? » m'ont-elles demandé à l'unisson.

« Quelqu'un m'observe », ai-je chuchoté.

Mildred a haussé un sourcil et a balayé la pièce du regard.

« Qui, ça ? Il n'y a personne d'autre dans la pièce ! »

« Je vous assure que si ! J'ai aperçu quelque chose à ma droite, puis à ma gauche ! Ça me suit dès que je bouge ! » me suis-je défendue.

« Oh, je crois comprendre, m'a dit Bo Peep en souriant. Bouge le bras droit, Boucle d'or ! »

J'ai obtempéré sans un mot, et j'ai aussitôt aperçu un mouvement à ma droite.

« Vous avez vu ? Je ne suis pas folle ! Quelque chose me suit ! » ai-je déclaré.

« En fait… Il s'agit de ton ombre, Boucle d'or », m'a expliqué Mildred d'une petite voix.

Je l'ai observée quelques instants sans rien dire.

« Mon… Ouais, c'est ce que je disais ! ai-je acquiescé en souriant. Mon ombre me suit partout ! Pas moyen d'être seule ! »

« Bon, a poursuivi Bo Peep en s'asseyant devant moi. Maintenant que nous avons résolu le mystère de ton assaillant invisible, pourquoi ne pas nous attaquer à celui qui trouble la paix de tout le village ? »

« Je suis d'accord, ai-je affirmé en sortant mon calepin. Y a-t-il des développements depuis hier ? »

« Oui, m'a avouée Mildred. Nous avons reçu un appel anonyme, il y a environ une heure. C'est pour cette raison que nous t'avons convoquée. La personne au bout du fil prétend détenir des informations à propos du chat de la mère Michel. Elle nous a priées de la rencontrer dans trente minutes au parc Ilsvécurentheureuxeteurentbeaucoupdenfants. »

« Très bien ! ai-je conclu en me levant. Téléphonez-moi dès que vous aurez des informations à me transmettre. »

« Euh ! Pas si vite, Boucle d'or, m'a retenue Bo Peep. L'interlocuteur a expressément mentionné qu'il voulait que tu sois présente lors de notre rencontre. Il voudrait que tu transmettes son témoignage au reste de la population dans l'un de tes articles. »

J'ai senti mon ventre se nouer. Il y a des moments où j'adore ma popularité, mais il y en a d'autres où je préférerais ne pas avoir à affronter de dangereux suspects.

J'ai acquiescé sans entrain, puis nous nous sommes promptement dirigées vers le parc afin d'attendre ce mystérieux témoin.

Une fois sur place, nous nous sommes installées à une table de pique-nique en lançant des regards paniqués de tous les côtés. Nous étions préparées au pire. Après quinze minutes d'attente, Tic est finalement apparu devant nous.

« Salut, les filles », nous a-t-il dit en rougissant.

« Désolée, le rongeur, mais nous n'avons pas le temps de discuter avec toi, lui ai-je répondu tout de go. Nous attendons… une visite importante. »

« Je sais, a-t-il répondu. Ce visiteur se trouve devant vous. »

« Quoi ? Où ça ? me suis-je écriée en grimpant sur la table et en mettant ma main en visière au-dessus de mes yeux. Je ne vois pourtant personne ! Est-ce qu'il est caché derrière cet arbre ? »

« Euh ! Boucle d'or ? » a fait Bo Peep.

« Ou alors sous ce banc de parc ? » ai-je poursuivi en l'ignorant.

« Boucle d'or ! » a-t-elle répété d'un ton ferme.

« Quoi ? » ai-je demandé en la dévisageant.

« Je crois que Tic essaie de nous dire qu'il est le visiteur que nous attendions. »

J'ai baissé les yeux vers le rongeur et je l'ai dévisagé longuement.

« Bo Peep a raison, a-t-il finalement admis. C'est moi qui vous ai conviées ici. »

« Et que veux-tu ? Des noisettes ? » me suis-je moquée.

« Non. Je veux... vous parler du chat de la mère Michel. Je sais ce qui s'est passé et je connais l'identité du coupable ! » a-t-il déclaré au bord des larmes.

« Eh bien, parle ! » ai-je ordonné.

« Tout est... ma faute ! » nous a-t-il avoué avant d'éclater en sanglots.

« Quoi ? Mais comment un animal aussi petit que toi a-t-il pu s'emparer d'un si gros chat ? » l'a questionné Mildred.

« En fait, ce jour-là, j'avais décidé d'aller me balader dans le boisé pour chercher des noisettes. J'étais justement en train d'en ramasser quelques-unes lorsque j'ai entendu la mère Michel et Azraël s'approcher. Comme je sais que ce chat me déteste, je me suis caché derrière un arbre pour éviter qu'il ne me voie. Mais son odorat infaillible lui a signalé ma présence, et il s'est avancé vers moi pendant que sa maîtresse contemplait des fleurs. Je lui ai fait une grimace pour le faire fuir, mais il s'est aussitôt lancé à ma poursuite. J'ai couru et couru pendant de longues minutes, poursuivi de près par Azraël. J'ai finalement réussi à trouver refuge dans un petit trou où le félin n'avait pas accès. J'y suis resté toute la nuit, puisque le chat refusait de bouger. Il faisait clair depuis plusieurs heures lorsque quelqu'un est venu le chercher... »

« Oh! Il s'agit sûrement du Héros invisible! a clamé Mildred. Tic, as-tu réussi à le voir? Peux-tu m'en faire une description? »

« Non. J'étais encore terré au fond de mon trou lorsque j'ai entendu des branches craquer. J'ai tendu le cou et j'ai vu une ombre. J'ai alors discerné les miaulements d'un chat et des bruits de pas qui s'éloignaient. J'ai attendu plusieurs minutes avant de regarder à l'extérieur. C'est là que j'ai compris que quelqu'un était venu chercher Azraël.

« Et pourquoi ne nous as-tu pas prévenues avant ? » l'a questionné Mildred en fronçant les sourcils.

« J'avais tellement peur que le chat de la mère Michel cherche à se venger que j'ai décidé de fuir la région et de rendre visite à ma tante à Romandefiction. Je suis rentré hier soir. Atchoum m'a raconté les incidents qui ont secoué Livredecontes depuis mon départ. Je sais que vous vouliez capturer le coupable des crimes qui ont été commis dans notre village, et je tenais à vous dire que je suis l'un de ceux que vous recherchiez. Vous pouvez donc m'arrêter et m'emmener au poste », a-t-il déclaré en plaçant ses deux pattes derrière son dos de façon théâtrale.

« Allons, Tic ! Nous n'allons pas t'emprisonner parce que tu as cherché à sauver ta vie en fuyant Azraël ! » lui a fait remarquer Mildred.

« Nous sommes simplement heureuses d'avoir élucidé l'un des mystères », a enchaîné Bo Peep.

« Ouais, c'est génial ! ai-je renchéri d'un ton sarcastique. Il ne nous reste plus qu'à découvrir qui a poussé Atchoum dans la rivière ; qui a versé du colorant dans le shampoing de Blanche-Neige ; qui s'est emparé de la nappe de Rose ; qui a volé le panier de provisions du Petit Chaperon rouge ; qui a subtilisé les cailloux du Petit Poucet pour faire en sorte qu'il se perde ; qui a cherché à me défigurer en coupant l'une de mes magnifiques boucles et qui a retiré toutes les banderoles et les décorations du parc en vue des élections municipales ! » ai-je énuméré.

« Nous sommes ici pour vous aider à faire la lumière sur tous ces incidents ! » a alors déclaré une voix derrière nous.

Je me suis retournée et j'ai aperçu Atchoum à quelques pas de moi. Plusieurs autres personnages de Livredecontes s'étaient joints à lui et nous observaient attentivement.

« Que faites-vous tous ici ? » a demandé Mildred d'un air surpris.

« Laissez-moi vous expliquer, a commencé le nain en se détachant du groupe. Hier soir, lorsque Tic est rentré à la maison, il est venu me trouver pour m'avouer ce qui s'était passé avec Azraël. Il se sentait affreusement coupable d'avoir fui le village et de ne pas vous avoir dit la vérité plus tôt. Il m'a alors annoncé qu'il comptait vous rencontrer pour vous donner sa version des faits. Son acte de bravoure m'a donné une leçon. J'ai décidé de faire de même… »

Mildred lui a jeté un regard confus.

« Quoi ? Mais de quoi parles-tu ? »

« Personne ne m'a poussé dans l'eau, a déclaré le nain d'un ton solennel. La vérité, c'est que j'ai éternué et que ça m'a fait perdre l'équilibre. J'ai trébuché, et tout est ma faute. C'est moi-même le coupable ! Et si le Héros invisible n'était pas venu à ma rescousse, je ne sais pas si je m'en serais sorti indemne… »

Mildred, Bo Peep et moi avons poussé un cri de stupéfaction.

« Mais pourquoi ne pas nous l'avoir dit avant ? » l'a grondé Mildred.

« Parce que j'avais honte et que je me doutais bien que Boucle d'or allait me ridiculiser dans son article si je disais la vérité ! »

Tous les regards se sont alors tournés vers moi.

« Hé ! Oh ! Ne me regardez pas comme ça ! Ce n'est tout de même pas de ma faute si ce nain souffre d'allergies », me suis-je défendue.

« Je suis vraiment désolé de vous avoir caché la vérité », a poursuivi Atchoum en baissant la tête.

« Tu es pardonné, lui a dit Bo Peep en souriant. Mais cela ne nous aide guère à résoudre les autres mystères. Par exemple, que s'est-il passé avec les cheveux de Blanche-Neige ? »

Cette dernière s'est alors avancée vers nous.

« Salut, les filles ! Je passais simplement pour vous faire un petit coucou ! Bon, eh bien, à plus ! » s'est-elle exclamée avant de rebrousser chemin.

Atchoum s'est empressé de la rattraper.

« Ne pars pas, Blanche-Neige, lui a-t-il dit. Les détectives méritent de connaître la vérité ! »

« Quoi ? Mais que se passe-t-il, encore ? » l'a de nouveau interrogé Mildred.

« Laissez-moi vous expliquer, a poursuivi Atchoum. Après m'être confessé à Tic, nous en sommes venus à la conclusion que nous n'étions sûrement pas les seuls à vous avoir caché des faits. Nous avons donc décidé de rendre visite aux habitants de du village pour découvrir qui était responsable des autres incidents qui ont eu lieu à Livredecontes. Grâce à notre enquête, je vous annonce que plusieurs autres citoyens doivent passer aux aveux et que Blanche-Neige est la première. »

Je n'en croyais pas mes oreilles. L'heure de vérité avait enfin sonné et les coupables étaient prêts à avouer leurs crimes.

Blanche-Neige a soupiré, puis s'est de nouveau avancée vers nous.

« Comme vous le savez, a-t-elle commencé, je me suis récemment fait teindre en blonde. Mais comme je n'ai pas obtenu les résultats espérés, je me suis précipitée au salon de coiffure pour retrouver ma couleur naturelle. Quelques jours plus tard, j'ai toutefois reçu un appel de mon agent. Il m'a dit que j'avais été sélectionnée pour l'audition pour le rôle d'Ariel dans une comédie musicale inspirée de *La Petite Sirène*, mais que pour être assurée de décrocher le rôle, il serait préférable que j'aie une chevelure… rousse. J'ai donc versé quelques gouttes de colorant dans mon shampoing. Le résultat a été si horrible que

j'en ai été foudroyée ! J'ai passé des heures à pleurer dans la salle de bain ! Quand Boucle d'or s'est finalement portée à mon secours, elle m'a appris que plusieurs incidents étranges étaient survenus à Livredecontes, et que Mildred et Bo Peep recherchaient le coupable. J'ai donc préféré rejeter la faute sur ce mystérieux malfaiteur plutôt que d'avouer que je m'étais moi-même infligé un sort aussi horrible… »

Les détectives ont poussé un soupir de mécontentement.

« Tu veux donc dire que c'est toi qui t'es teinte en rouge ? » l'a disputée Mildred.

« Oui, a-t-elle reconnu. Je désirais être rousse, mais mes cheveux sont devenus rouge écarlate ! J'ai donc supplié Boucle d'or de m'accompagner chez le coiffeur pour retrouver ma couleur naturelle, et j'ai téléphoné à mon agent pour lui indiquer que je n'irais pas à l'audition et que je ne changerais plus jamais mon apparence pour un rôle. »

Belle et Cendrillon l'ont chaleureusement applaudie.

« Bon, a soupiré Mildred. Et quelqu'un veut me dire ce qui s'est passé avec la nappe en soie de Rose ? »

« C'est ma faute, a avoué le Petit Chaperon rouge en s'avançant à son tour. J'ai accidentellement fait tomber la nappe dans la boue. Elle était toute sale, alors j'ai décidé de l'enfouir sous des feuilles dans la forêt plutôt que d'avouer ma bêtise à Rose. Je suis désolée. »

« Et je parie aussi que c'est toi qui as fait disparaître les provisions de ton panier ! me suis-je exclamée. Pour une jeune fille, on peut dire que tu as tout un appétit ! »

« Non, c'est moi qui ai dévoré ses provisions, a admis Balthazar en se tenant le ventre. Comme vous le savez, j'adore manger. Mais comme il existe très peu de choix de plats végétariens au supermarché, je suis affamé en permanence ! Alors, quand j'ai vu ces délicieuses victuailles abandonnées en bordure de sa maison, je n'ai pas pu m'empêcher de les engloutir et de dissimuler le panier dans la forêt. Je suis désolé de vous avoir caché la vérité, mais j'avais tellement honte de m'être laissé emporter par mon appétit. »

Les détectives ont secoué la tête, tandis que je m'efforçais de noter les déclarations et les aveux qui pleuvaient de toutes parts.

Ce fut ensuite au tour de Hansel et Gretel de présenter des excuses au Petit Poucet après lui avoir avoué que c'était eux qui s'étaient emparés de ses petits cailloux pour jouer à la marelle.

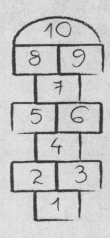

« Nous ne savions pas qu'ils t'appartenaient ni que tu en avais besoin pour rentrer chez toi », s'est justifié Hansel.

« Et comme Boucle d'or soupçonnait Griffus, nous avons préféré nous taire, car nous avions trop peur de nous dénoncer », a ajouté Gretel d'une voix timide.

« C'est très bien tout cela, ai-je déclaré en m'adressant à la foule, mais il nous reste un crime important à élucider. Qui a coupé ma boucle chérie ? »

Cendrillon s'est aussitôt avancée vers moi.

« Je suis désolée, Boucle d'or, mais c'est moi qui m'en suis prise à tes cheveux. »

J'ai ouvert la bouche, mais j'étais tellement sous le choc que je n'arrivais pas à prononcer un mot.

« Toi ? ai-je finalement énoncé après de longues secondes. Mon amie ? Comment as-tu pu ? »

« Tu t'es moquée de mes cheveux ternes dans l'un de tes articles et tu m'as fait beaucoup de peine. Je voulais simplement que tu comprennes que ce n'est pas facile d'être imparfaite, mais je ne croyais pas que l'absence de ta boucle allait créer un si grand vide dans ta vie ! Excuse-moi, mon amie. J'espère que tu pourras me pardonner. »

Je l'ai regardée longuement, puis je me suis approchée d'elle et j'ai posé une main sur son épaule.

« Je comprends, ai-je soufflé en la regardant dans les yeux. Je sais que ce ne doit pas être facile d'avoir une amie aussi exemplaire que moi. »

« Je suis vraiment désolée d'avoir coupé ta jolie boucle », a-t-elle sangloté en se jetant dans mes bras.

« Et moi, je suis navrée d'être aussi parfaite », ai-je gémi à mon tour.

« Vos réconciliations sont touchantes, s'est interposée Mildred, mais il reste encore deux mystères à éclaircir. Qui s'est emparé des banderoles et des décorations et qui est le Héros invisible ? »

« Je crois pouvoir répondre à ces deux questions, a répondu Agatha en jaillissant de derrière un arbre, suivie de près par Griffus.

La présence de l'ogre a aussitôt fait tressaillir la foule.

« Il y a quelques jours, j'ai fait la connaissance de Griffus alors que je quittais le *Country Club*. Ce dernier a été assez généreux pour m'inviter à une petite fête chez lui, a expliqué Agatha avec assurance. Comme vous le savez, vous êtes tous un peu froids à mon égard depuis que j'ai essayé d'empoisonner Cendrillon, et ce, même si j'ai payé ma dette à la société en faisant mon travail d'intérêt général et que je m'efforce de vous prouver ma bonne foi. Ça m'a donc fait le plus grand bien de me trouver un nouvel ami. Ce soir-là, j'ai compris que Griffus était généreux, drôle et très attachant. Quand Boucle d'or s'est présentée chez lui pour l'accuser de tous ces crimes, je n'arrivais pas à en croire mes oreilles.

Lorsque cette dernière est partie, Griffus m'a expliqué qu'il avait quelque chose d'important à faire. J'ai donc décidé de le suivre en cachette pour en avoir le cœur net et pour découvrir s'il s'agissait oui ou non d'un criminel. Il s'est aventuré dans la forêt et il a marché longtemps, jusqu'à une clairière. Je me suis cachée derrière un arbre pour mieux l'observer. J'ai réalisé qu'il venait de retrouver le Petit Poucet. Ce dernier dormait à poings fermés. Griffus l'a délicatement pris dans ses bras. Mais avant de le ramener chez lui, je l'ai vu écrire une note qu'il a ensuite déposée tout près du jeune garçon. J'ai été témoin de cet acte de bienveillance, mais comme je savais que personne n'allait me croire, j'ai décidé de voler les banderoles et les décorations après l'arrestation de Griffus pour prouver son innocence et pour encourager les vrais coupables à admettre leurs torts. Je suis donc ici pour vous dire que c'est moi qui ai volé les ornements du parc et pour vous annoncer que Griffus est notre Héros invisible. »

L'ogre s'est avancé d'un pas et il a brandi une boîte remplie de décorations et de banderoles. C'est alors que j'ai compris. C'est lui qui est allé chercher Azraël dans la forêt et qui a sorti Atchoum des eaux menaçantes de la rivière. C'est aussi Griffus qui a récupéré et nettoyé la nappe de Rose et qui a rendu son panier rempli de provisions au Petit Chaperon rouge. C'est cet ogre intrépide qui a retrouvé le Petit Poucet, et c'est lui aussi qui m'a remis ma boucle et qui m'a permis d'en faire cadeau à l'hôtel de ville. Et aujourd'hui, c'est Griffus, notre Héros invisible, qui nous a rendu les ornements du parc.

La foule s'est aussitôt mise à applaudir et à remercier l'ogre pour sa bravoure et sa générosité. Vous avez aussi été nombreux à lui demander pardon d'avoir douté de son honnêteté et de l'avoir blâmé plutôt que d'avouer vos propres torts. Ce soir, la tâche me revient de m'adresser publiquement à Griffus par le biais de ce journal.

Griffus, je tiens à te présenter mes excuses pour t'avoir soupçonné ainsi et t'avoir mal jugé. Pour me faire pardonner, je te propose de t'aider à te refaire une beauté. Je crois qu'avec plusieurs centaines de séances de soins pour la peau, de manucure, de pédicure et de rendez-vous chez le dentiste, je pourrais te rendre moins repoussant. Je sais que c'est généreux de ma part, mais que veux-tu ? Je suis dotée d'un altruisme et d'une bonté sans borne qui me poussent toujours à me surpasser.

Boucle d'or xoxo

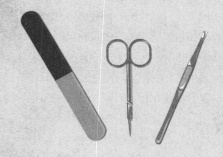

DÉCEMBRE

22 décembre

Bonjour, chers admirateurs! Je vous écris aujourd'hui pour vous transmettre une excellente nouvelle! En effet, j'ai appris hier que j'étais enceinte d'une petite fille. Imaginez! Une autre petite princesse aussi délicieuse et parfaite que moi. Je suis aux anges!

Pour célébrer cette grande annonce, notre maire Griffus vous invite tous à partager un délicieux goûter en plein air dans la cour de l'hôtel de ville! Dame Tartine m'a par ailleurs promis de concocter ses succulents croque-monsieur spécialement pour l'événement!

Nous en profiterons également pour souligner certaines des grandes réalisations de notre Héros invisible depuis que la population de Livredecontes l'a élu maire, il y a près de deux mois.

Depuis que Griffus a pris les rênes du village, il s'est notamment assuré d'offrir une plus grande variété de mets végétariens au supermarché de Livredecontes, au grand plaisir de Balthazar qui est maintenant rassasié. De plus, il a fait construire une immense aire de jeu près de l'école primaire Le Jeune Héros pour que Hansel et Gretel puissent s'amuser à la marelle comme bon leur semble.

Agatha, son attachée de presse, m'a annoncé que ce goûter permettrait aussi de dire au revoir à toute l'équipe du film *La femme à la chevelure noire*. Comme vous le savez, c'est notre merveilleuse Blanche-Neige qui a décroché le rôle principal de ce long métrage et qui a convaincu les grands noms d'Hollywood de se déplacer jusqu'ici pour le tournage. Son agente Cendrillon m'a par ailleurs informée que tout le monde avait adoré notre coin de pays, et que tous comptaient bien y revenir plus longuement en vacances.

Je crois que je n'ai jamais été aussi fière de notre village, et s'il y a une chose que j'ai comprise au cours des derniers mois, c'est que tout le monde est un héros à Livredecontes.

Votre adorée (et future maman)
Boucle d'or xoxo

fIN

Questions de lecture pour l'enfant

a. Trouve trois références à des contes de fées originaux dans cette histoire.

b. Comment Griffus parvient-il finalement à prouver son innocence ? Qui l'a aidé ?

c. Nomme quatre personnages qui ont été victimes d'incidents désagréables à Livredecontes.

d. Comment s'appelle l'agence de détectives de Mildred et Bo Peep ?

e. Quel personnage a dévoré le contenu du panier à provisions du Petit Chaperon rouge ?

f. Qui est finalement élu maire de Livredecontes ?

g. Pour quel journal Boucle d'Or travaille-t-elle ?

Activités entre amis

a. Inventez une comptine que Griffus puisse chanter.

b. Dessinez un portrait de Griffus, de Boucle d'or et d'Agatha !

c. Illustrez la scène que vous avez préférée dans ce livre. Par exemple, un ami peut illustrer la scène où Boucle d'or aperçoit Blanche-Neige avec les cheveux rouges, alors qu'un autre peut dessiner tous les personnages réunis à l'hôtel de ville pour célébrer la grossesse de Boucle d'or et les exploits de Griffus.

d. Essayez de raconter l'histoire en interprétant chacun un rôle. Par exemple, un ami peut jouer le rôle de Boucle d'or, tandis qu'un autre incarnera Griffus, et un troisième sera Robinson !

e. Réinventez l'histoire en trouvant chacun un autre incident farfelu qui aurait pu se produire à Livredecontes. Qui pourrait être le coupable et pourquoi ?

Activités pour les professeurs ou pour les parents

a. Discutez de l'histoire avec les jeunes. À la fin de l'aventure, on apprend non seulement que Griffus est innocent, mais qu'il est le Héros invisible. Quelle est la morale, selon eux ?

b. Demandez aux jeunes s'il leur est déjà arrivé de juger quelqu'un avant même de le connaître, ou si on s'est déjà moqué d'eux sans raison. Comment se sont-ils sentis ?

c. Dans l'histoire, on apprend aussi qu'il ne faut pas se fier aux apparences ni sauter trop vite aux conclusions. Est-ce que les jeunes ont déjà été accusés de quelque chose sans raison ? Comment ont-ils réagi ?

d. Proposez aux jeunes de trouver un adjectif pour décrire chacun des personnages. Par exemple, Griffus pourrait être « courageux » ou « altruiste ».

e. À quel personnage les jeunes s'identifient-ils le plus et pour quelles raisons ?

f. Quelle est leur scène préférée dans l'histoire. Qu'ont-ils aimé ? Est-ce qu'ils ont ri ? Est-ce qu'ils ont été émus ?

Profil d'un ogre pas si terrible

Personnage : Griffus

Âge : 35 ans (très jeune pour un ogre)

Statut actuel : Après avoir été accusé à tort de divers incidents à Livredecontes, il a été relâché, et même élu maire du village pour célébrer son statut de Héros invisible.

Champs d'intérêt : Organiser des pique-niques et des activités en plein air, chanter et se porter au secours des gens.

Émission préférée : *Ogre un jour, ogre toujours.*

Degré de méchanceté : Nul, puisqu'il est le Héros invisible et qu'il est le premier à se porter au secours des autres !

Mets préféré : Tout ce qui contient du fromage.

Ennemis jurés : Les puces et les noix.

Complices : Au départ, Agatha et Robinson. À la fin de l'histoire, tous les habitants de Livredecontes !

Croque-monsieur de Dame Tartine

(parfait pour célébrer les bonnes nouvelles)

À la demande générale, Dame Tartine lève le voile sur sa recette de croque-monsieur.

Donne 1 portion

Ingrédients

- 2 c. à thé de beurre fondu
- 1 œuf
- 2 c. à soupe de lait
- 30 g de fromage râpé
- 1 pincée de noix de muscade
- Poivre
- 2 tranches de pain de campagne
- 2 tranches de jambon
- 2 tranches de fromage suisse ou de gruyère

N'OUBLIE PAS DE DEMANDER DE L'AIDE À UN ADULTE LORSQUE TU UTILISES LE FOUR !

Préparation

1. Préchauffer le four à 200 °C (400 °F).
2. Mélanger le beurre fondu, l'œuf, le lait, le fromage râpé et la muscade dans un grand bol. Poivrer légèrement.
3. Tremper chaque tranche de pain de campagne dans le mélange, puis les déposer côte à côte sur une plaque de cuisson. Garnir chaque tartine d'une tranche de jambon et de fromage et faire cuire le tout pendant environ 10 minutes, jusqu'à ce que le fromage soit doré.

Un vrai délice pour combler les petits creux !

Petites boules glacées
à la noix de coco de Griffus

(à grogner de bonheur)

Cette délicieuse petite gâterie saura convaincre tout le monde de la gentillesse de Griffus.

Donne 8 portions

Ingrédients

- 1 litre de glace à la vanille
- 2 paquets de 400 g de noix de coco râpée

Préparation

1. Préparer des boules de glace d'environ 4 cm, puis rouler chaque boule dans la noix de coco râpée.
2. Déposer les boules de glace enrobées de noix de coco sur un plateau recouvert de papier d'aluminium ou dans des moules à mini-muffins en papier.
3. Couvrir ensuite de papier d'aluminium ou de pellicule plastique et congeler pendant au moins 2 heures !

Punch aux fruits hawaïen de Griffus

(pour une fête réussie !)

Voici la recette secrète de punch aux fruits du maire de Livredecontes. Laisse aller ton imagination pour le choix des fruits. Les variantes sont infinies !

Donne une vingtaine de verres

Ingrédients

- 2 L de jus d'ananas
- 1 L de jus d'orange
- 1 L de limonade
- 125 ml de sirop de grenadine
- Morceaux de fruits au choix
- Glaçons

Préparation

1. Dans un grand pichet ou un bol à punch, mélanger le jus d'ananas, le jus d'orange et la limonade.

2. Verser le sirop de grenadine et bien mélanger.
3. Ajouter les fruits et les glaçons avant de servir.

Pour une touche plus festive, ajoute des parapluie en papier dans les verres !

Bibliothèque publique de la Municipalité de la Nation
Succursale ST ISIDORE Branch
Nation Municipality Public Library

MARQUIS

Québec, Canada